TITAN

Collection dirigée par
Stéphanie Durand

Projet dirigé par Stéphanie Durand, éditrice

Conception graphique et mise en pages : Sara Tétreault
Révision linguistique : Sophie Sainte-Marie et Chantale Landry
En couverture : Photomontage réalisé à partir d'œuvres photographiques
   © herrbuerli/photocase.com et © Avesun/shutterstock.com

Québec Amérique
329, rue de la Commune Ouest, 3ᵉ étage
Montréal (Québec) Canada H2Y 2E1
Téléphone : 514 499-3000, télécopieur : 514 499-3010

Nous reconnaissons l'aide financière du gouvernement du Canada par l'entremise du Fonds du livre du Canada pour nos activités d'édition.

Nous remercions le Conseil des arts du Canada de son soutien. L'an dernier, le Conseil a investi 157 millions de dollars pour mettre de l'art dans la vie des Canadiennes et des Canadiens de tout le pays.

Nous tenons également à remercier la SODEC pour son appui financier. Gouvernement du Québec – Programme de crédit d'impôt pour l'édition de livres – Gestion SODEC.

Canada   Conseil des arts Canada Council du Canada for the Arts   SODEC Québec

Catalogage avant publication de Bibliothèque et Archives nationales du Québec et Bibliothèque et Archives Canada

Latulippe, Martine
Les aveux
(Titan ; 111)
Pour les jeunes.
ISBN 978-2-7644-2954-9 (Version imprimée)
ISBN 978-2-7644-2998-3 (PDF)
ISBN 978-2-7644-2999-0 (ePub)
I. Titre. II. Collection : Titan jeunesse ; 111.
PS8573.A781A93 2015   jC843'.54   C2015-940846-6
PS9573.A781A93 2015

Dépôt légal : 3ᵉ trimestre 2015
Bibliothèque nationale du Québec
Bibliothèque nationale du Canada

MARTINE LATULIPPE

QuébecAmérique

*À Kieran, Mélina et Chloé, pour toutes nos
discussions estivales sur ce roman.*

Et un merci spécial à Martin Michaud.

Prologue

Avant même qu'il arrive à l'école, la machine à rumeurs s'était emballée. On nous avait prévenus, en classe, qu'il y aurait un nouvel élève la semaine suivante. Un nouveau, en plein milieu d'année scolaire? En janvier? En quatrième secondaire?

Tous les élèves ne parlaient que de ça. Leur imagination s'enflammait. C'était clair pour tout le monde que ce nouveau avait dû être expulsé de son école précédente. On ne savait même pas son pré- nom, et déjà toutes sortes d'histoires couraient sur lui. Il avait vendu de la drogue. Il avait menacé un prof. On ne pouvait pas dire exactement ce qu'il avait fait, mais il avait un lourd secret, c'était sûr et certain!

Mes trois meilleurs amis et moi, on prenait tout ça avec un grain de sel. Les Inséparables. Justine,

Thomas, Jonathan et moi-même, Mia. Nous n'avons jamais été très forts sur les potins… On ne se laissait pas trop atteindre par la frénésie ambiante, on tentait de ne pas embarquer dans les rumeurs insensées qui circulaient.

Ce que nous ne savions pas encore, c'est que le nouveau allait chambouler notre existence, la mienne en particulier. Ce que j'ignorais aussi, c'est que la machine à rumeurs avait en partie raison : il cachait bel et bien un lourd secret. Un secret terrible. Je croyais qu'aucun aveu n'aurait pu m'ébranler. Pourtant, ce que j'allais apprendre était bien pire que tout ce que j'avais jamais pu imaginer.

Chapitre 1

Normalement, je suis la première des Inséparables arrivée à l'école. Déjà au primaire, en cinquième année, Justine, Thomas et moi, nous étions toujours ensemble. Nos maisons sont situées près les unes des autres. Nous étions dans la même classe à l'école. L'été, on se rejoignait le soir, au terrain de jeu, pour le soccer; l'hiver, on allait à la patinoire pour le hockey… Jonathan s'est joint à notre trio en sixième année et on ne s'est plus quittés, tous les quatre. Notre enseignant de sixième, monsieur Olivier, nous appelait toujours « les Inséparables », et le nom est resté depuis. Aux yeux de tous, même de nos parents et de nos profs, nous sommes les Inséparables. On ne peut pas trouver plus différents que nous quatre, mais on s'entend parfaitement bien.

Nous voilà en quatrième secondaire. Plus qu'un an et demi, et chacun prendra son propre chemin pour la première fois depuis longtemps. Jonathan veut étudier le théâtre à Saint-Hyacinthe. Thomas parle de jouer au football en Beauce. Justine pense étudier en journalisme à Jonquière. Moi, je ne sais pas trop encore… Je ne suis pas décidée. Mais si je reste ici, on sera désormais les Inséparables… séparés. Aux quatre coins de la province !

D'habitude, donc, je suis la première de nous quatre à l'école. Tom et Jo me rejoignent, puis Justine se pointe toujours juste avant la cloche, un peu essoufflée. Ça ne s'applique pas qu'à l'école. Justine a une fâcheuse tendance à arriver à la dernière minute, peu importe l'activité. Mais mon amie est le charme incarné : personne ne peut lui en vouloir !

Ce matin, l'autobus que je prends ne parvenait pas à démarrer à cause du froid, et il est finalement passé avec plus d'une demi-heure de retard. C'est donc moi qui entre en courant dans la cafétéria quelques minutes à peine avant que la cloche sonne. Je ne sens plus mes doigts, j'ai les joues rouges, je grelotte encore. Mes trois amis m'accueillent en souriant.

— Hé, on s'inquiétait un peu, Mia ! dit Thomas.

J'explique le problème de l'autobus et je précise :

— Je vous jure, il y a de meilleures façons de commencer la journée que de rester plantée une demi-heure sur le trottoir, au grand froid, à attendre le bus !

Jonathan ne peut s'empêcher de répliquer d'un ton très sérieux :

— L'avenir appartient à ceux qui se lèvent tôt.

Tout le monde éclate de rire autour de la table. Jo a cette charmante habitude de toujours nous sortir des proverbes. Parfois, ça marche ; d'autres fois, non ! Il invente aussi très souvent ses propres proverbes. Je regarde mon ami, sa chemise bleue, son nœud papillon vert lime, ses longs cheveux blonds… C'est un personnage ! Personne d'autre ne pourrait s'habiller ainsi. Pourtant, ça lui va à merveille ! Jusqu'à l'an dernier, en troisième secondaire, Jonathan était tout petit. Il m'arrivait presque au coude, et j'exagère à peine ! On le surnommait tous « Ti-Jo » depuis la sixième année. Je ne sais pas ce qui s'est passé au cours de l'été, Jo a grandi d'un coup. Il mesure maintenant six pieds, c'est le plus grand de nous quatre. Par habitude, on a continué à l'appeler Ti-Jo tout l'automne, mais comme c'est assez absurde d'appeler quelqu'un Ti-Jo quand il nous dépasse largement, on a fini par laisser tomber ce surnom. On le nomme désormais simplement Jo.

Thomas taquine Jo :

— Hum… apparemment, toi, tu ne t'es pas levé tôt ce matin ! Ce n'est pas le meilleur proverbe ! Ça n'a rien à voir avec la situation de Mia.

Jo en convient en rigolant.

— On ne peut pas toujours avoir LA citation parfaite !

Changeant de sujet, Tom demande :

— Avez-vous regardé le match, hier ?

C'est sa question traditionnelle du matin. Tous les jours, Tom nous demande si on a visionné le match de la veille, qu'il s'agisse de hockey, de soccer, de football… Et tous les jours, nous répondons, tous les trois en même temps :

— NON !

Tom est un sportif obsessif et il semble garder espoir qu'on acquière un quelconque intérêt un jour pour les événements sportifs télévisés qu'il regarde religieusement. Pour le moment, il est bien le seul à s'y intéresser. Ce matin, Jo et moi lançons notre habituel « NON » clair et précis, mais Justine ne répond pas. Normalement, mon amie est celle de nous quatre qui parle le plus. Un véritable moulin à paroles! Là, Justine ne dit rien. Elle garde les yeux fixés vers la porte de la cafétéria, le regard vague. Intriguée, je me tourne pour voir ce qui la distrait à ce point. Un gars est entré dans la pièce. Quelqu'un que je n'ai jamais vu. Justine déclare:

— C'est sûrement lui. Le nouveau.

Je suis prête à parier que oui. Une chose est certaine: si ce garçon venait déjà à l'école avant aujourd'hui, je l'aurais remarqué. Grand, les cheveux sombres, les épaules carrées, un air un peu ténébreux qui me fait craquer... Tom me sort de mes pensées:

— Oh! c'est une recrue pour nous, ça! C'est un joueur de football, c'est évident!

L'inconnu traverse la cafétéria sans lever la tête. Il s'engage dans le corridor qui mène aux classes sans un seul regard pour personne. Tout le monde le suit des yeux. Moi la première. Jo me dit, gentiment moqueur:

— Hé, Mia!

Je me tourne vers lui.

— Oui?

— Tu peux refermer la bouche. Il est parti. Je pense que tu as un petit filet de bave qui dégouline sur ton menton...

Je tente de protester :

— Pfft ! franchement ! Il n'est quand même pas...

Je ne trouve rien à ajouter. Je voudrais bien lui faire croire que le nouveau ne m'a pas impressionnée tant que ça, mais, pour être honnête, je n'ai jamais vu un gars aussi beau. Tout à coup, Justine pousse un cri aigu et vient à ma rescousse sans le savoir :

— Viiite ! Ça va sonner !

On récupère nos sacs d'école en vitesse puis, tous les quatre, on s'élance dans le corridor à notre tour. À la seconde où la cloche sonne, nous mettons le pied dans le cours d'anglais. À la même seconde exactement, je vois le nouveau, assis sur une chaise, dans notre local, juste à côté de ma place.

Mon cœur s'affole.

Chapitre 2

Toutes les fins de semaine, je passe le plus de temps possible avec les Inséparables. Même quand l'un de nous est occupé, les trois autres se rejoignent. J'adore Tom et Jo, mais c'est de Justine que je suis la plus proche. Quand elle vient dormir chez moi ou que je couche chez elle, nous parlons longtemps de tout et de rien, souvent jusqu'à trois ou quatre heures. Jo dit que, juste à voir nos yeux cernés le lundi matin, il sait si Justine et moi avons passé la nuit à jaser !

Ce soir, samedi, Tom garde sa sœur de sept ans. Je suis en train de souper quand je reçois un texto de sa part :

> Léa a envie d'aller jouer dehors.
> Ça vous tente ? Rendez-vous dans
> une heure chez moi. Habit de neige
> obligatoire.

Je souris. C'est bien Tom, ce genre d'invitation! J'adore! Je m'empresse d'accepter et je vois passer, en quelques secondes, des messages de Jo et de Justine, confirmant qu'ils y seront aussi.

La maison de Tom est située à deux coins de rue de chez moi. Quand j'y arrive, j'entends des voix venant du terrain, derrière la demeure. Je m'y rends et découvre un superbe fort de neige. La petite Léa y est installée. Elle chantonne en façonnant des boules de neige bien rondes. Une dizaine de balles s'accumulent déjà devant elle. Au bout du terrain, Jo et Tom, pelles à la main, construisent un autre fort, un peu moins ambitieux. En fait, dire qu'ils sont en train de creuser un trou dans la neige serait plus exact!

Quand Justine nous rejoint, une quinzaine de minutes plus tard, elle nous découvre, Léa et moi, en cours de fabrication de munitions. Elle prend aussitôt une boule de neige et la lance sur Jonathan, toujours en train de creuser l'autre fort. Elle l'atteint à l'épaule. Jo pousse un cri surpris, puis il ramasse de la neige et la lance vers notre fort. Bien à l'abri derrière le mur glacé, aucune de nous trois n'est touchée. Tom crie:

— La guerre est déclarée!

Tom et Jo se mettent à faire pleuvoir des boules de neige vers nous. Comme les nôtres sont déjà prêtes, nos tirs sont plus suivis et bien plus efficaces. La bagarre dure un bon moment. La soirée résonne de cris et de rires. L'air froid pique nos joues, qui deviennent rapidement toutes rouges. Soudain, plus rien ne vient du fort des gars. Ils ont cessé de tirer des balles. Silence total. Léa chuchote :

— Qu'est-ce qui se passe ?

Je réponds :

— Je vais aller voir…

Je me faufile hors du fort en rampant dans la neige. Tout à coup, une paire de bras solides m'enlace par-derrière. Je me sens soulevée de terre. Tom hurle :

— J'ai une fille en otage ! Rendez-vous si vous voulez la revoir !

J'ai beau me débattre, il m'entraîne dans le fort des garçons. Je n'arrive pas à me libérer, mais je parviens tout de même à ramasser une bonne quantité de flocons et à les glisser dans le col du manteau de Tom. Il rugit et me lance dans la neige. J'en ai plein le visage. Justine et Léa s'élancent à ma rescousse et se précipitent dans le fort pour me délivrer. Fou rire général ! C'est peut-être ce qui nous lie le plus, tous les quatre : aucun n'a peur d'avoir l'air fou ou de paraître bébé. Évidemment, Justine ressemble malgré tout à une carte de mode, avec sa tuque exactement du même bleu que ses yeux et son manteau à la page, mais elle rigole autant que nous tous.

La neige vole de tous côtés, les étoiles brillent, mes amis m'entourent. Je les regarde, émue. On crie tous aussi fort, sinon plus, que Léa, la jeune sœur de Tom. C'est un moment de bonheur parfait. Je voudrais qu'il ne cesse jamais et que je n'aie pas à rentrer chez moi. Ni à retrouver mes parents et l'ambiance pesante de la maison.

On finit par se calmer un peu. Épuisés, nous voilà tous les cinq couchés dans la neige, à contempler le ciel. Justine, à bout de souffle, déclare :

— C'était magique ! Vous croyez qu'on va toujours rester amis ?

Jo répond sans hésiter :

— Pfft ! franchement, c'est certain ! Attends de nous voir organiser des batailles de boules de neige quand on habitera tous la même résidence, à quatre-vingts ans !

Le pire, c'est que je n'ai aucun mal à imaginer la scène. Tom propose :

— Chocolat chaud pour tout le monde ! On rentre !

Il se lève et me tend le bras pour m'aider à me relever. Il époussette la neige sur mes épaules et ma tuque, et demande :

— Je ne t'ai pas fait trop mal en te kidnappant, au moins ?

— Penses-tu ! Je me suis laissé prendre ! C'était une ruse pour m'introduire dans votre fort.

Il éclate de rire et me serre dans ses bras. Tom m'y garde juste un peu plus longtemps que nécessaire, il me semble, avant de se diriger vers la porte de la maison.

Mais je me fais sûrement des idées. Il n'y a jamais eu d'histoire de cœur entre les Inséparables. Ce n'est pas aujourd'hui que ça va commencer.

Chapitre 3

Un autre lundi matin qui vient trop vite! En descendant du bus, je croise le nouveau, qui entre dans l'école. Je m'habitue peu à peu à sa présence. Il s'appelle Maxime. Il est plutôt... discret. Une semaine déjà qu'il est ici, et c'est à peine s'il a parlé à qui que ce soit. Je lui souris chaque fois que je le croise, il répond à mon sourire, mais sans plus. Je ne l'ai vu adresser la parole à personne.

Le premier midi, tout le monde attendait impatiemment de voir avec qui il irait manger. Maxime est entré dans la cafétéria. Il a regardé partout autour. Plusieurs gars de foot lui ont fait un salut de la main. Avec son physique d'athlète, c'est clair que tous le veulent dans l'équipe. Les *cheerleaders* de l'école l'ont aussi dévisagé, les yeux brillants, le sourire invitant. Mais Maxime s'est contenté de se rendre à une petite table isolée, dans un coin, où il n'y avait même pas de chaise. Il a ramassé une chaise à une table voisine, s'est installé seul avec sa boîte à lunch, a mis ses écouteurs et a mangé sans relever la tête. C'est devenu sa place. Il mange là, tous les midis, seul. Il n'a pas l'air malheureux pour autant. Juste isolé. Comme s'il n'était pas vraiment là. Comme s'il ne souhaitait la présence de personne d'autre.

Ce matin, en anglais, nous devons faire un travail d'équipe. Normalement, c'est toujours la même routine : Justine est en équipe avec moi, Thomas avec Jonathan, mais on finit plus ou moins par travailler à quatre chaque fois.

Ce matin ne fait pas exception. Justine est déjà à mon bureau, Tom et Jo sont au pupitre à ma gauche. À ma droite, la tête baissée, Maxime se met au travail. Je chuchote à Justine :

— Je lui propose de venir avec nous ?

Mon amie hausse les épaules.

— Si tu veux. Il va refuser de toute façon, il reste toujours tout seul.

La beauté du nouveau m'intimide. Son attitude distante aussi. Je comprends que c'est difficile de changer d'école en cours d'année, mais on dirait qu'il ne fait aucun effort pour créer des liens. Il ne peut pas finir l'année sans parler à personne, quand même ! Je prends mon courage à deux mains :

— Tu veux te mettre en équipe avec nous ?

Maxime semble surpris. Il hésite, me regarde un moment sans répondre, puis finit par accepter d'un petit signe de tête. Il approche sa chaise de mon pupitre. Nous travaillons pendant toute la période. Il est très concentré et parle peu. Chaque fois que Justine ou moi passons un commentaire qui n'est pas lié à notre projet, il ne réagit pas, ne répond pas.

Il ne reste que quelques minutes avant la cloche. Nous avons terminé le travail. Jo et Tom, à nos côtés, entament la discussion. Tom demande :

— Vous avez regardé le tennis, hier ?

Évidemment, Jo, Justine et moi répondons, pile en même temps :

— NON !

Un léger sourire se dessine sur les lèvres de Maxime. Tom, habitué, hausse les épaules et n'insiste pas. Jonathan lance :

— Qui vient voir mon match d'impro après les cours ?

Jo est particulièrement adorable aujour-d'hui : il a une chemise noire et une cravate grise, ses cheveux blonds sont relevés en toque. C'est drôle de voir Tom, tout près de lui, qui porte toujours des chandails d'équipes sportives et une casquette ! Jo dirait sûrement que les contraires s'attirent... Le proverbe s'applique aussi à Justine et à moi, d'ailleurs. Justine est plutôt Miss Mode. Elle est du genre à changer de vernis le matin pour que la couleur aille avec son chandail. Pour ma part, l'essentiel de ma garde-robe consiste en des jeans et des chandails de groupes : les Beatles, Pink Floyd, Red Hot Chili Peppers... Tom affirme que je ne suis pas née à la bonne époque, Jo me surnomme sa petite rockeuse préférée. Quant à Justine, elle ne peut s'empêcher parfois de me maquiller un peu, de me prêter une paire de boucles d'oreilles, de nouer un foulard autour de mon cou pour ajouter une touche colorée à ma tenue. L'un de nos fous rires les plus mémorables remonte à une soirée où mon amie avait décidé de me montrer à marcher avec des talons hauts... Je me suis viré la cheville si souvent que j'ai failli me retrouver à l'hôpital ! Je suis rapidement revenue à mes confortables Converse !

Tom me ramène à la discussion en in-diquant qu'il sera au match d'improvisation.

Justine et moi levons la main à la blague pour confirmer aussi notre présence. Justine rigole :

— On y sera tous. Les Inséparables réunis une fois de plus !

Elle explique à Maxime, qui s'est bien gardé d'intervenir jusque-là :

— Les Inséparables, c'est le nom que notre enseignant de sixième année nous donnait.

Il se contente de nouveau d'un petit sourire, sans rien dire. Tom propose gentiment :

— Si tu veux venir à l'impro avec nous, tu es le bienvenu.

Maxime répond « merci » d'une voix basse. La cloche sonne. Il se lève aussitôt, ramasse son sac et sort de la classe en vitesse, en nous faisant un salut de la tête.

Tom soupire :

— Ouf ! tu parles d'un air bête ! J'aurai essayé, au moins !

Je proteste :

— Non, il n'a pas l'air bête. Il est juste timide… ou, plutôt, réservé.

À son tour, Justine intervient :

— C'est comme s'il ne voulait pas nous laisser entrer dans son univers, qu'il voulait absolument y rester seul.

Justine a raison. Maxime ne semble pas sentir le besoin de créer des liens. Il donne l'impression de dresser une vitre entre lui et les autres et de se retrancher derrière.

Jo ne peut s'empêcher de se moquer un peu de nous :

— Stop ! on arrête la psychanalyse, les filles ! Vous êtes aveuglées parce que vous le trouvez trop beau. Vous ne voulez pas admettre qu'il n'est pas très sympathique, c'est tout.

Justine réplique :

— Et toi, tu es jaloux parce que, pour une fois, tu te fais voler la vedette, Jo ! Ça t'agace qu'il soit si mystérieux et que toutes les filles le regardent sans arrêt.

Justine marque un point ! Jo n'est vraiment pas du genre jaloux, mais il est habitué d'être la *star* de quatrième secondaire. Les filles aiment son petit côté excentrique, et il a eu plusieurs copines au fil des ans. Justine et moi l'adorons, mais en ami. Aucune n'est sortie avec lui. C'est probablement pour ça que notre amitié résiste aux années !

Jo proteste qu'il n'est pas jaloux du tout. C'est drôle : Maxime et lui sont les deux extrêmes. Jo est blond, Maxime est brun ; le premier est lumineux, le second sombre ; l'un est extraverti, l'autre pour le moins discret... Tom murmure, tel un conspirateur :

— C'est peut-être vrai ce qu'on raconte, après tout... Que Maxime a quelque chose à cacher.

Jo ne peut s'empêcher d'ajouter un proverbe :

— Il n'y a pas de fumée sans feu.

Je dis :

— Bof... Ça se peut. On a tous nos petits secrets...

Tom éclate de rire et me taquine :

— Même toi, Mia ? L'éternelle optimiste qui sourit tout le temps ? Pour qui tout va toujours bien ?

Je ne réponds pas. Je fais mine de me concentrer en mettant mes affaires dans mon sac avant de sortir du local.

Je détourne le regard dès qu'on parle de moi comme d'une fille sans problèmes. Je n'arrive pas à en parler, mais moi aussi j'ai mes secrets. Aux yeux des autres, ce ne serait peut-être pas si dramatique, sauf que j'y pense sans arrêt. J'aurais envie de me confier à Justine, ou bien à Tom, ou à Jo, mais je ne réussis jamais à aborder le sujet. Je ne sais pas pourquoi je suis incapable de me confier à ce point, même à mes meilleurs amis. C'est vrai, ce que dit Tom : tout le monde me voit comme la fille qui n'a aucun problème... Je garde tout pour moi.

Je pousse un soupir et me dirige vers la cafétéria avec les Inséparables. Jo et Justine parlent du match d'impro de ce soir. Trop heureuse de changer de sujet et de ne plus penser à mes secrets, je me joins à leur discussion.

Chapitre 4

Depuis notre travail d'équipe en anglais, Maxime s'est un peu dégêné. Il me salue à chaque cours, il m'adresse la parole plus souvent, surtout pour des généralités : des devoirs à remettre, des questions sur un travail, la tempête de neige annoncée qui n'a pas eu lieu… Nos discussions nè vont pas beaucoup plus loin, mais Maxime semble plus accessible. Il a même dîné avec les Inséparables à trois reprises. Bon, soyons honnête : ce n'est jamais lui qui anime la conversation, on est loin des confidences, mais il écoute, il sourit. Il y a de l'amélioration ! En fait, il est si discret qu'on remarque à peine sa présence quand il se joint à nous au dîner. Justine parle toujours autant, Jo vole encore la vedette avec ses proverbes et ses anecdotes rigolotes. Quant à Tom, il a enfin trouvé quelqu'un qui connaît le football !

À quelques reprises, Maxime et lui ont parlé des matchs regardés à la télé. Tom est tout content !

Ce mercredi matin, selon mon habitude, je suis la première à entrer dans la cafétéria. J'en profite pour terminer mon devoir de mathématiques. Jo et Tom me rejoignent une vingtaine de minutes plus tard, rapidement suivis de Justine. Nous discutons un petit moment. Mon amie ne peut s'empêcher de me taquiner :

— Qu'est-ce que tu as à toujours regarder vers la porte de la café, Mia ? On est tous arrivés, pourtant !

Tom en rajoute d'un ton moqueur :

— On attend le beau Maxime ?

Je me contente de grommeler :

— Pfft… vous dites n'importe quoi !

Jo s'exclame :

— Alors ça, c'est un argument convaincant, ma chère !

Tout le monde rigole. Moi aussi. C'est vrai, chaque jour, j'ai hâte de voir Maxime. J'ai l'impression que, quand il est dans les parages, mon cœur bat un peu plus vite. Chaque fois qu'il a mangé avec nous, j'avais la gorge si serrée que j'ai dû jeter la moitié de mon lunch. Justine ajoute :

— C'est bizarre… Avez-vous remarqué que Maxime vient nous parler seulement quand Mia est là ? Sinon il reste seul.

Je ne peux m'empêcher de rougir. Oui, j'ai remarqué, moi. Et même si Justine prend un ton amusé, j'ai aussi noté que l'intérêt que je porte à Maxime paraît agacer un peu mes Inséparables. Parce qu'on ne le connaît pas ? Ou alors… si ma meilleure amie trouvait Maxime à son goût également ? J'espère que ce n'est pas le cas… Nous n'avons jamais été intéressées par le même garçon jusqu'à ce jour. Justine insiste :

— C'est étrange, non, qu'on ne sache rien de lui ? Il ne parle jamais de son ancienne école, de ce qu'il aime, de ce qu'il fait…

Je lance :

— Tu as ce qu'il faut pour réussir en journalisme, Justine, c'est sûr !

Jo et Tom éclatent de rire. Justine est notre fouineuse professionnelle, celle qui veut toujours tout savoir, qui se montre constamment curieuse. Elle s'obstine :

— Eh bien, oui, ça m'intrigue qu'il soit si secret. Pas toi ?

Je me contente de hausser les épaules. Jo conclut :

— On ne peut pas empêcher un cœur d'aimer !

Puis c'est de nouveau la course vers notre premier cours. Nous commençons en français. Quelques secondes seulement avant que la cloche sonne, nous entrons dans le local. Maxime y est déjà. Il n'est pas assis à mes côtés dans ce cours, mais, pendant que je m'installe à ma table, j'ai la surprise de le voir se lever et se diriger vers moi.

— Salut, Mia ! J'ai… j'ai quelque chose à te demander.

De l'aide pour un devoir, sans doute, ou une info sur l'école. Maxime semble mal à l'aise. Il hésite un moment, puis, les yeux fixés au plancher, il lance d'un seul souffle :

— Je ne connais pas grand monde dans le coin. Je sais, je n'ai pas fait trop d'efforts pour changer ça. Et mes parents s'inquiètent parce que je ne vois personne, je ne sors jamais. Aurais-tu le goût d'aller au cinéma vendredi ?

Je suis étonnée. Je ne prends pas le temps de réfléchir, je réponds de façon spontanée :

— Tu… tu veux dire que tu m'invites pour rassurer tes parents ? C'est bien l'invitation la plus romantique que j'aie jamais reçue !

Maxime éclate de rire. Ses yeux s'allument. C'est la première fois que je le vois réellement amusé. Que je le sens vraiment présent.

— En réalité, Mia, pour être honnête, je cherchais surtout un prétexte. J'ai juste envie de faire une sortie avec toi. C'est mieux ?

Mille fois mieux ! J'ai chaud. Mon cœur bat à toute vitesse. Je m'empresse d'accepter son invitation. La cloche sonne, Maxime retourne à sa place.

Je tente de me concentrer sur le prof, à l'avant, qui commence le cours. J'ai du mal à y arriver. Je me sens observée. Je tourne la tête. Justine, à mes côtés, les yeux fixés sur moi, hausse les sourcils d'un air moqueur. Elle chuchote :

— J'ai bien compris ? Il t'a invitée ?

Je fais oui de la tête.

J'ai les joues en feu. Les idées se bousculent dans mon esprit. Je suis terriblement énervée : je vais au cinéma avec le beau Maxime après-demain. Vendredi. Je sens que je ne dormirai pas beaucoup d'ici là !

Chapitre 5

Ce matin, vendredi, nous sommes déjà tous en classe quand Justine, l'éternelle retardataire, finit par arriver. Il reste quelques secondes avant le début du cours. Dès qu'elle entre dans le local, elle se dirige vers moi. Je la regarde s'avancer : elle porte une jupe et un t-shirt noirs, un veston bleu par-dessus, de hautes bottes noires. Pour ma part, j'ai mis un jean et une camisole blanche ornée d'un signe de *peace* sous une chemise kaki. Je me demande comment Justine fait : si j'avais la malencontreuse idée de m'habiller comme elle, j'aurais l'air de me déguiser ou de jouer à la madame. Justine, elle, est magnifique. Elle est parfaitement à l'aise et pourrait déjà pratiquement passer pour une journaliste professionnelle. J'envie la belle assurance de mon amie.

À mes côtés, Jonathan murmure :

— Oh ! notre Justine semble déterminée, ce matin !

Elle a en effet un air bien décidé. Elle a quelque chose en tête, c'est clair. Justine s'arrête près de moi et me demande :

— C'est bien ce soir, ta sortie au cinéma ?

Surprise, je fais oui de la tête.

— J'ai réfléchi. Ça m'inquiète. Je le trouve bizarre, ton Maxime. On va aller au fond des choses avant que tu sois seule avec lui.

La cloche sonne. Sans que je puisse protester ou ajouter quoi que ce soit, Justine m'a déjà tourné le dos et est repartie à son bureau. Elle a le don de toujours tout dramatiser ! Maxime ne parle pas beaucoup, c'est vrai. Il est arrivé en classe en pleine année scolaire, vrai aussi. Bon, ça ne veut pas dire pour autant qu'il cache une terrible tragédie ou qu'il a quoi que ce soit à se reprocher.

Je pousse un soupir et je tente de me concentrer sur ce que notre professeur dit, à l'avant. Ces temps-ci, je suis loin d'exceller dans la concentration. J'ai du mal à empêcher mes pensées de tourbillonner : qu'est-ce que Justine peut bien avoir derrière la tête ?

• • •

L'heure du dîner commence tout juste. Comme tous les midis, je rejoins les Inséparables à ce qui est devenu, au fil des années, « notre » table. Sitôt assise, je demande à Justine :

— Qu'est-ce que tu voulais dire, tantôt, par « aller au fond des choses » ?

— Écoute, Mia, je sais que tu trouves Maxime à ton goût et que, chaque fois qu'on t'en parle, tu dis que s'il veut être secret, c'est de ses affaires. Mais, quand même, ça ne t'inquiète pas d'aller au cinéma avec quelqu'un que tu ne connais pas du tout ?

J'éclate de rire.

— Franchement, on se calme, Miss Dramatique ! Qu'est-ce que tu veux qu'il m'arrive ? On va voir un film, dans un lieu public. Que je le connaisse ou non, je serais très étonnée de courir un grand danger !

Je fixe Jo et Tom, m'attendant à ce qu'eux aussi se moquent gentiment de Justine. Mais je ne reçois pas d'appuis de leur côté. Tom se contente de souligner :

— C'est vrai qu'il est un peu bizarre, ce gars-là…

Justine ajoute :

— J'ai fouillé sur Internet et il n'a même pas de compte Facebook !

Elle me regarde comme si ne pas avoir de compte Facebook, c'était la fin du monde. Je réplique :

— Je ne savais pas que c'était un crime. Il en a peut-être un, mais pas avec son vrai nom. Beaucoup utilisent un surnom.

Pas question que j'en parle, mais je sais bien que Maxime n'a pas de compte Facebook à son nom… J'ai passé des heures à faire des recherches sur mon ordi pour le trouver.

Jo renchérit gentiment :

— Tu as raison, Mia. N'empêche… on ne sait absolument rien sur lui. Et l'ignorance, c'est comme la science, ça n'a pas de bornes.

Tom pose sa main sur la mienne :

— Tu es tellement confiante…

Je retire vivement ma main. Cette fois, ni les mots de Tom ni le proverbe de Jo n'arrivent à m'arracher un sourire. Je vide ma boîte à lunch d'un air buté. Au même moment, Maxime passe près de notre table. Il semble se diriger vers le coin qu'il a adopté, où il mange le plus souvent en solitaire. Justine s'empresse de l'accrocher par le bras.

— Hé! Maxime! Viens manger avec nous!

Maxime hésite. Difficile de refuser sans paraître complètement asocial! Il finit par s'asseoir à notre table. Il n'a pas encore pris une seule bouchée de son lunch que Justine l'attaque déjà:

— Je suis surprise que tu ne joues pas au football. Tu as le gabarit pour ça!

— C'est vrai. Je jouais avant, mais j'ai arrêté.

Il n'ajoute rien, laissant Justine sur sa faim. Curieuse, mon amie insiste:

— Tu sais que les gars de notre équipe de foot rêvent que tu te joignes à eux.

Tom, la bouche pleine, confirme avec enthousiasme:

— Oh oui!

Maxime sourit poliment, mais ne dit rien. Justine ne se décourage pas pour autant.

— Penses-tu t'inscrire au football? L'année prochaine, peut-être?

Maxime se contente d'un petit non de la tête. Justine demande:

— As-tu des frères? Des sœurs?

Maxime est étonné par le changement de sujet brutal. Justine contre-attaque avec une nouvelle question. Elle écoute à peine les réponses de Maxime. Elle a l'air froid et consciencieux d'une journaliste qui mène une entrevue.

— Es-tu quelqu'un de secret ?

Le nez plongé dans mon lunch, je passe près de m'étouffer. C'est un véritable interrogatoire de police qu'elle lui fait subir ! Je suis furieuse. Maxime semble terriblement mal à l'aise. On voit bien qu'il rêverait d'être n'importe où sauf ici. Je grogne :

— Justine…

Elle me regarde d'un air faussement naïf et hausse les sourcils :

— Quoi ?

Un silence lourd s'installe à notre table. Maxime finit par dire :

— Non. Je ne vais pas m'inscrire au football. Je n'ai plus envie de jouer. Et non, je n'ai pas de frère ou de sœur, je suis fils unique. Quant à savoir si j'ai des secrets, c'est mon affaire.

Visiblement, l'indiscrétion de mon amie le dérange. Je le sens près d'éclater. Je prie pour que Justine le laisse maintenant tranquille. Elle lui gâche totalement son dîner. Mais la journaliste en herbe n'en a pas fini avec lui… Elle demande encore :

— Et à quelle école tu allais, cet automne, avant de venir ici ?

Le visage de Maxime se ferme complètement. Il ramasse ses choses en vitesse, place tout dans son sac à dos et dit :

— Je n'allais pas à l'école cet automne.

Et il quitte la cafétéria sans jeter un seul regard à aucun d'entre nous.

Pendant quelques secondes, personne ne parle. Je suis morte de honte. Je finis par éclater :

— Tu es contente, Justine ? Je pense que le cinéma, ça ne marchera pas, en fin de compte… C'est bien ce que tu voulais ?

Des larmes de rage coulent sur mes joues. Je les essuie d'un geste rapide, encore plus en colère de me donner en spectacle ainsi. Que cherche Justine ? En apprendre plus sur Maxime… ou gâcher mes chances avec lui ? Pourquoi ? Elle a peur que je la néglige si j'ai un nouvel amoureux ? Ou alors que je m'éloigne des Inséparables ?

Justine murmure :

— Je voulais juste en apprendre un peu plus…

Jo essaie de détendre l'atmosphère :

— On aurait pu y aller plus doucement, genre une question aujourd'hui, une le lendemain, une autre la semaine prochaine… On n'écrase pas une mouche avec un canon !

Tom rit de bon cœur. Justine et moi, on ne sourit même pas. Justine me fixe d'un air implorant. Elle semble vraiment désolée.

— Je m'excuse, Mia…

Je suis trop furieuse pour accepter ses excuses. Je grogne :

— Tout le monde a le droit à ses secrets, qu'est-ce qui vous échappe là-dedans ?

Tom, inconscient de la tension qui s'est installée à table, proteste :

— On peut bien avoir des petits secrets, mais à ce point-là, c'est un peu exagéré… Regarde, nous quatre, on n'a rien à cacher et on répond quand on nous pose des questions !

Je me lève à mon tour. Je ramasse mon sac et ma boîte à lunch.

— Crois-le ou non, Thomas, tout le monde peut avoir des trucs dont il ne parle pas. Même moi. Mais comme je n'ai pas envie de vous confier mes secrets, je m'en vais avant de subir un interrogatoire.

Je quitte la table sans plus d'explications. Les yeux toujours pleins de larmes, je sors de la cafétéria et fonce vers la bibliothèque. J'y passe le reste de l'heure du dîner plongée dans une BD que je ne réussis pas à lire. Les mots se brouillent, je reprends sans cesse la même ligne.

Pour la première fois depuis quatre ans, même si les Inséparables sont tous à l'école, ils ne sont que trois à table ce midi.

Chapitre 6

Je patiente dans le hall du cinéma depuis dix minutes déjà. Maxime n'est pas en retard, pourtant. Il est à peine 18 h 20, et notre rendez-vous est fixé à 18 h 30. J'avais si peur de ne pas être là à l'heure que j'ai pris l'autobus bien trop tôt.

Je jette un œil nerveux à ma montre toutes les trente secondes. Quand Maxime est venu me voir à la fin des cours, cet après-midi, j'étais tellement énervée que j'en avais mal au ventre. Après l'interrogatoire peu subtil que lui a fait subir Justine, j'étais convaincue qu'il allait simplement m'annoncer qu'il annulait notre sortie. Je le trouvais même plutôt gentil de me prévenir au lieu de juste me laisser tomber sans rien dire. Mais non. Il s'est contenté de me demander si je voulais qu'on se rencontre à 18 h 30

47

dans un café à l'entrée du cinéma. On pourrait alors choisir ensemble le film.

J'ai terriblement envie que cette soirée se passe bien ! Il y a longtemps qu'un gars ne m'a pas plu autant. Toutes ces histoires avec les Inséparables me stressent un peu. Jo, Justine et Tom sont ce qu'il y a de plus important dans ma vie depuis des années. Chaque fois que ça ne va pas, je me réfugie chez eux. Ils sont toujours là pour moi. Notre amitié est unique. On a parfois de petites disputes, comme tout le monde, mais jamais rien de sérieux. Je sens bien qu'ils ne sont pas sous le charme de Maxime, c'est le moins qu'on puisse dire, mais je n'ai pas envie d'avoir à choisir entre eux et lui... J'aimerais réellement que ça marche avec Maxime.

Je ne peux m'empêcher de me moquer un peu de moi : que ça marche ? *Wooo*, on se calme, Mia ! On est loin de la demande en mariage ! Maxime m'a seulement invitée au cinéma. Il cherche peut-être vraiment à rassurer ses parents, il me considère juste comme une amie.

Encore un regard sur les aiguilles de ma montre qui, me semble-t-il, avancent à peine. Il est 18 h 26. La porte du cinéma s'ouvre, Maxime entre. Je suis crispée, mes ongles labourent mes paumes. Je prends quelques grandes inspirations tandis qu'il se dirige vers moi.

Dès que nous sommes installés à table avec nos chocolats chauds, j'aborde le sujet qui me tient à cœur. Je n'ai pas envie de laisser les choses traîner et assombrir notre soirée.

— Écoute, Maxime, je voulais m'excuser pour mes amis. Je suis vraiment désolée. Ça n'avait pas d'allure, toutes les questions de Justine…

Il me rassure aussitôt :

— Oublie ça, Mia, ce n'est pas ta faute. Et puis… honnêtement, je cours après. Je sais que je ne parle pas beaucoup, je suis discret. Ça intrigue les gens. Ça dérange. Ils se posent des questions à mon sujet. Je comprends ça.

Je rigole :

— Ils imaginent le pire…

Maxime dit d'une voix basse :

— Difficile d'imaginer pire, je te jure…

Que puis-je répondre à cela ? Mal à l'aise, je reste silencieuse. Essaie-t-il de me faire comprendre quelque chose ? Quoi ? Après quelques secondes, Maxime lève la tête de son chocolat chaud et propose :

— On met tout ça derrière nous, OK ? J'ai envie de passer une belle soirée !

J'ai du mal à me retenir tant je voudrais crier le plus grand «OUI» au monde! Super proposition! Je demande:

— Quel film tu veux voir?

— Hum… je ne sais pas trop, ça fait une éternité que je ne suis pas allé au cinéma. Toi, Mia, lequel t'intéresse?

Je suis bien près de lui avouer que je me moque absolument du film que nous verrons! Je suis juste ravie d'être ici, avec lui. Sa présence me trouble. Je le trouve si beau. Évidemment, je n'ose rien lui dire de tout ça. Nous jasons de cinéma un moment. J'ai rarement vu Maxime si détendu. La conversation est facile et agréable.

Le reste de la soirée se déroule tout aussi bien: pour ce que j'en sais, le film choisi est plutôt bon. Pour être honnête, je suis plus troublée par le bras de Maxime qui effleure le mien de temps à autre que par les images qui défilent à l'écran. À quelques reprises pendant le film, il pose son bras contre l'accoudoir, entre nos deux sièges, tout contre le mien, pendant de longues minutes. Je sens la chaleur de son bras à travers le tissu de mon chemisier, et mon cœur s'emballe. Le fait-il exprès? Ou est-ce que, au contraire, il ne se rend compte de rien?

La projection se termine, les lumières se rallument dans la salle. Je suis presque déçue. Mon compagnon se tourne vers moi avec un sourire.

— Pas mal, hein ? C'était un bon choix. La suite est prévue cet été. On ira la voir !

Mon cœur se met à battre comme un fou. On est en janvier. L'été semble encore bien loin ; il envisage déjà d'autres sorties ! J'accepte avec beaucoup trop d'enthousiasme. Je tente de nouveau de me calmer : il a peut-être dit ça comme ça, sans réfléchir… Mais je ne peux m'empêcher de rêver qu'il le pensait bel et bien.

Quand nous quittons le cinéma, Maxime me demande si j'ai un cellulaire. Nous échangeons nos numéros. C'est plutôt bon signe, non ? Il m'explique qu'il n'habite pas très loin, qu'il est venu à pied, mais il me raccompagne à l'arrêt d'autobus et reste avec moi jusqu'à ce que le bus arrive. Avant que j'y monte, il plante ses yeux sombres dans les miens :

— J'ai passé ma plus belle soirée depuis longtemps, Mia. Merci.

Je meurs d'envie de l'embrasser. Il me semble que lui aussi y pense, si je me fie à son regard. Les autres passagers sont déjà tous entrés. Maxime se contente de poser ses mains sur mes épaules et de me pousser doucement vers l'intérieur du bus.

— Vite, tu vas le manquer !

Je m'assois sur le premier banc libre, les jambes un peu molles. J'appuie mon front contre la vitre. Maxime me salue de la main.

C'est le plus merveilleux vendredi soir de ma vie.

Chapitre 7

Habituellement, je passe une grande partie de mes fins de semaine avec les Inséparables. Ils viennent me visiter, je vais chez l'un d'eux, on traîne au centre commercial, au cinéma, au ski… J'adore ces moments avec eux. Pourtant, cette fin de semaine est différente. Pour deux raisons.

La première : j'ai refusé toutes les invitations de Justine, de Jonathan et de Thomas. Je leur en veux encore du traitement réservé à Maxime vendredi. Ils m'écrivent des messages, comme si de rien n'était. Je réponds, mais un peu froidement. Je suis certaine que tout ça va rentrer dans l'ordre bien vite, mais je tiens à ce qu'ils sachent que ça m'a réellement dérangée.

L'autre raison qui change cette fin de semaine est bien plus joyeuse : au réveil, hier matin, en allumant mon téléphone, j'ai découvert un texto de Maxime. Envoyé en plein milieu de la nuit :

> Merci encore pour la soirée ! Bonne nuit, beaux rêves !

J'ai répondu avec un frisson :

> Merci à toi. Passe une belle journée.

Et les messages ont continué tout le samedi. De petits mots sans importance, du genre : « Qu'est-ce que tu fais ? » Des réflexions sur le film vu hier (il semble l'avoir regardé plus attentivement que moi. Je me demande si c'est mauvais signe…). Etc. Chaque texto qui entre me fait sourire.

Ce matin, dimanche, nouveau message :

> Patin p. m. ?

Je réponds aussitôt :

> Bien sûr !

Maxime propose :

> 13 heures à la patinoire devant l'école ?

J'ai envie de crier de joie ! Revoir Maxime si vite après notre sortie au cinéma… Génial ! En plus, comme je ne suis pratiquement jamais à la maison la fin de semaine, j'avoue que l'ambiance commence à me peser… Je ne suis pas habituée de passer autant de temps avec mes parents. Si possible, j'évite de le faire. Chez moi, à tout moment, c'est la guerre.

Chez moi, le soir, les objets volent.

Sitôt qu'ils se retrouvent dans la même pièce, c'est l'enfer entre mes parents. Ils hurlent n'importe quoi à l'autre, ils se lancent tout ce qui leur tombe sous la main. Quand j'étais plus petite, ma grand-mère habitait à côté. Je ne compte plus le nombre de nuits que j'ai passées chez elle parce qu'elle entendait mes parents crier de sa maison et venait me chercher.

Quand ma grand-mère est morte, j'ai cru mourir aussi. J'ai eu un court répit : pendant deux ou trois semaines, les disputes ont diminué, laissant toute la place au deuil, mais depuis, ça a repris.

Parfois, ma grand-mère me murmurait dans la nuit, en me ramenant chez elle :

— Il faut sortir de là, ma belle ! Ça va mal finir…

Elle a essayé à plusieurs reprises de les calmer, toujours en vain. Elle a même appelé la police deux fois. Je m'en souviens. De grosses larmes coulaient sur ses joues et elle répétait :

— Ce n'est pas possible, une telle colère… L'un des deux va finir par frapper l'autre…

Ce n'est pas arrivé, mais je vis avec cette peur. Chaque jour, ça me hante.

Justine et Jo, dont les parents sont séparés, n'arrêtent pas de me dire combien ils envient ma famille. Ils me répètent quelle chance j'ai que mes parents soient encore ensemble après vingt ans. Je ne parviens pas à leur confier la vérité. C'est ça, mon secret.

Tout le monde adore mon père et ma mère. Ils sont gentils, c'est vrai. Juste incompatibles. Seuls, les deux sont drôles, sympathiques, agréables. Dès qu'ils sont ensemble, ils se métamorphosent. D'aussi loin que je me rappelle, ça a toujours été ainsi : ils rient devant le monde, ils se taquinent, ils semblent bien s'entendre, mais dès qu'on revient à la maison, l'un se met à reprocher à l'autre chaque mot qu'il a dit, ils s'insultent, se surveillent sans arrêt.

Je ne sais pas pourquoi ils restent ensemble. Je les ai suppliés à plusieurs reprises de se laisser. J'aimerais mieux voir mes parents heureux chacun de leur côté que malheureux tous les deux. Je ne comprends pas comment ils peuvent endurer ça. Chaque jour, j'ai droit à une petite heure de répit, puisque j'arrive de l'école avant eux. J'apprécie chaque minute de tranquillité. Je redoute le moment où cette heure, seule à la maison, va finir.

Quand mes parents sont de retour, ce n'est jamais très long avant qu'ils explosent. N'importe quel prétexte est bon : un commentaire sur le souper, l'impression que l'autre ne s'intéresse pas à ce qu'on lui raconte... Il faut en général moins de quinze minutes avant que ça dégénère. C'est la crise pratiquement tous les jours. Je mange à toute vitesse, puis je cours me réfugier dans ma chambre.

Malgré la porte fermée, les cris parviennent jusqu'à moi. Depuis que je suis petite, j'ai pris l'habitude d'attendre la fin de la dispute dans mon garde-robe, qui est heureusement assez grand. J'y ai aménagé un coin avec des coussins et le toutou que je préférais quand j'étais jeune. Je ferme la porte de ma chambre, celle du garde-robe aussi, je m'adosse contre le mur, je mets mes écouteurs à plein volume, je serre mon toutou contre moi, je ferme les yeux et je me promets que jamais je n'accepterai de vivre ainsi quand je serai en couple.

Ça dure en général un bon moment, puis la porte d'entrée de la maison finit par claquer. L'un des deux est parti. L'autre s'enferme dans sa chambre. Je peux quitter le garde-robe. La vie reprend son cours à peu près normal jusqu'au lendemain... Au déjeuner, tout le monde fait semblant de rien. On sait toutefois tous les trois que, le soir venu, ça recommencera.

J'ignore pourquoi je n'arrive pas à en parler à mes amis. Même pas à Justine, qui est pourtant ma confidente pour tout le reste. Peut-être que j'ai peur de passer pour un bébé, en allant raconter que je m'enferme dans un garde-robe avec un toutou. Peut-être parce que je ne veux pas avoir l'air de dénoncer mes parents. Montrer que tout n'est pas aussi beau qu'ils s'efforcent de le faire croire. Ils travaillent si fort pour donner l'apparence d'un couple heureux, j'aurais l'impression de les trahir en disant la vérité.

Peut-être surtout parce que j'ai honte. Honte de ne pas réussir à rendre mes parents plus heureux. Honte de voir leur tristesse quotidienne. Honte de penser qu'ils gâchent leur vie petit à petit. Je me sens responsable. Si je n'étais pas là, ils ne seraient plus ensemble, c'est certain. La guerre serait finie. Au fond, tout est ma faute. Je ne peux me sortir cette idée de la tête. Donc, je ne parle pas, je joue le jeu, je patiente jusqu'à ce que l'orage passe. C'est parfois lourd. Un jour, sans doute, j'arriverai à en parler.

Pour le moment, la patinoire m'attend.

La vibration de mon téléphone me sort de mes pensées. Un texto de Maxime.

Je te vois dans une heure! ☺

Je réponds:

J'ai hâte.

J'hésite un instant, puis j'ajoute:

xxx

La réponse ne tarde pas:

☺ xxx

Mon cœur s'affole. J'ai terriblement envie de le revoir, pourtant nous étions ensemble il y a deux jours seulement.

Dans la cuisine, j'entends mes parents discuter. Le ton monte, monte. Ça y est: ils crient. Cette fois, je ne me réfugie pas dans le garde-robe. Je m'assois sur mon lit, je mets mes écouteurs, je relis sans arrêt les textos de Maxime et je prends mon journal intime.

J'écris un bon moment, mais il n'est question que d'un seul sujet: Maxime, encore Maxime. Juste écrire son nom me fait frissonner.

Maxime.

Maxime.

Maxime.

Chapitre 8

Je n'ai jamais eu aussi hâte au lundi matin! L'après-midi à la patinoire avec Maxime, hier, a été superbe. Il me plaît de plus en plus. Il est réservé, c'est vrai, mais il est surtout sympathique. Et même plutôt chaleureux, quand on le connaît. J'ai l'impression que cette vitre qu'il semble dresser entre lui et les autres se fissure peu à peu quand il est avec moi… Sans oublier que je le trouve beau à tomber par terre, ce qui n'est pas non plus négligeable! On s'entend vraiment bien, tous les deux.

On dirait que, ce matin, je prends trois fois plus de temps que d'habitude pour choisir mes vêtements. J'essaie des dizaines de morceaux en chantonnant: « Je vais revoir Maxime! » Quand je quitte ma chambre, on jurerait qu'une tornade y est passée tellement il y a de chemisiers, de camisoles et de t-shirts partout sur le plancher! Évidemment, je suis revenue à ma première idée!

Quand j'arrive à la cafétéria de l'école, une surprise m'attend: Jo, Tom et Justine sont déjà à notre table. Ils sont fidèles à eux-mêmes: Jo porte une chemise jaune citron et un nœud papillon noir, Tom un chandail de l'Avalanche du Colorado, et Justine a l'air directement sortie d'un magazine de mode avec son chandail à large col bourgogne, ses leggings noirs et ses bottes à talons hauts exactement de la même couleur que son chandail.

Dès que j'entre, Justine se lève et se dirige vers moi. Je dis d'une voix étonnée:

— Vous arrivez tôt!

Mon amie me prend la main et me conduit vers la table.

— On voulait te faire une surprise! Viens t'asseoir.

Je prends place sur une chaise. Tom dépose devant moi un gobelet fumant.

— Tiens! C'est un chocolat chaud. Je sais que tu adores ça.

Justine me tend un sachet de papier:

— Je t'ai acheté ta galette préférée…
Pépites de chocolat.

Enfin, Jo glisse devant moi une feuille de
papier, avec une sorte d'animal dessiné dessus.
Il a écrit en dessous en grosses lettres multico-
lores : *Bonne journée !* J'ai du mal à réprimer un
fou rire. Je l'interroge :

— Hum… c'est joli, mais euh… dis-moi,
c'est quoi ?

Tout le monde rit de bon cœur. Jonathan
fait semblant d'être indigné. Il montre du doigt
une sorte de tube posé sur la tête de l'étrange
créature :

— Hé ! franchement ! C'est une licorne !
C'est clair, non ? Je sais que tu les aimes.

Je tourne la feuille dans tous les sens,
comme si j'y cherchais la licorne. Bon joueur,
Jo conclut :

— Bon… on ne peut pas avoir tous les
talents !

Troublée par cette montagne de cadeaux,
je dis :

— C'est vraiment gentil, tout ça… Mais
quelle est l'occasion ? Ce n'est pas ma fête ! J'ai
oublié quelque chose ? Un événement ?

Justine explique :

— C'est juste une façon de te demander pardon. De te dire qu'on tient à toi et qu'on est désolés de ne pas avoir été plus délicats vendredi.

Jo ajoute :

— Faute avouée est à moitié pardonnée, non ?

Impossible de résister à tout ça ! Je suis très touchée. Je les adore, mes Inséparables ! Je ne pourrais jamais leur en vouloir longtemps. Et puis, j'ai passé une trop belle fin de semaine pour être de mauvaise humeur contre qui que ce soit ce matin ! Je reprends le proverbe de Jo :

— Faute avouée est complètement pardonnée !

Je fais un gros câlin à chacun. Une fois de plus, j'ai l'impression que Tom me serre très fort contre lui, quelques secondes de plus que les autres… Des idées que je me fais, sans doute. Justine s'empresse de me demander comment s'est déroulée la soirée au cinéma avec Maxime. Je me contente de leur dire que c'était vraiment agréable, que Maxime est un gars très intéressant et que je l'ai d'ailleurs revu dimanche. Jo ne peut s'empêcher de me taquiner gentiment.

— Ouh là là ! Deux fois en une fin de semaine…

Justine y va d'une petite pointe :

— Je comprends pourquoi on n'avait presque pas de tes nouvelles...

Quand nous arrivons en classe, Maxime y est déjà. Il m'adresse un sourire chaleureux. Je me dirige vers lui, sous le regard amusé de Jo. J'entends Tom fredonner à voix basse : « *Love, love, love...* »

Maxime se lève à mon arrivée.

— Salut, tu vas bien ?

— Très bien, merci, et toi ?

Ses yeux noirs sont doux. Une fois de plus, être à proximité de lui me fait frissonner. J'aurais envie de le prendre dans mes bras. Je lutte bien entendu contre cette envie soudaine et me contente de lui dire :

— Si tu veux venir dîner avec nous tout à l'heure, n'hésite pas. J'ai fait promettre à Justine de ne pas t'imposer de séance de questions.

Maxime rigole. Il pose tout naturellement sa main sur mon épaule et l'étreint.

— Ne t'inquiète pas pour ça. Je les trouve très sympathiques, tes amis. Sincèrement.

Je fonds. Je sens tous les regards dans la classe fixés sur nous. Je n'ai aucun mal à imaginer leurs pensées : Maxime et Mia ? Maxime qui ne dit jamais un mot et que personne ne connaît ? Sortent-ils ensemble ? Je suis prise dans un tourbillon d'émotions. Je suis contente qu'il se montre affectueux devant les autres sans être gêné, je me demande s'il considère qu'on sort ensemble, je suis terriblement troublée par la chaleur de sa main sur mon épaule. J'aurais bien envie de rester ici, devant lui, toute la journée, mais la cloche qui sonne empêche ce beau projet de se réaliser.

Je m'éloigne à regret. Maxime me rappelle :

— Hé ! Mia !

Je me retourne. Il s'approche de moi et dit rapidement à voix basse :

— Ne sois pas trop dure avec tes Inséparables. C'est vrai qu'il y a des choses dont on devra parler.

Il m'adresse un dernier sourire et va s'asseoir à sa place. Dans ma tête, ça virevolte de plus belle. À quoi fait-il allusion ? Est-il simplement discret ou a-t-il réellement quelque chose à cacher ?

Après tout, ça m'est égal. Rien de ce que Maxime me confiera ne pourra changer quoi que ce soit à ce que j'éprouve pour lui. Rien.

Chapitre 9

Depuis quelques jours, je vis sur un nuage. Maxime est adorable! Je n'ai jamais craqué à ce point pour un garçon. Je pense à lui sans arrêt! Je l'ai revu à quelques reprises en dehors de l'école, et c'est chaque fois parfait. Bien sûr, je n'ai pas oublié les paroles étranges qu'il m'a dites l'autre jour: «Il y a des choses dont on devra parler...» Elles me reviennent en tête régulièrement. Je suis curieuse de savoir quelles sont ces choses dont il faudra parler, mais je ne veux surtout pas le brusquer. J'attends qu'il aborde le sujet lui-même, quand il sera prêt.

J'espère que je ne m'emballe pas trop vite... Je ne sais pas trop comment il me perçoit: une bonne copine? Une amoureuse éventuelle? Je n'ose pas poser la question. Pour l'instant, on ne forme pas officiellement un couple, je pense, même si on se voit souvent. On ne s'est pas encore embrassés. J'en meurs d'envie, mais je n'ose pas faire les premiers pas. Et s'il ne me trouvait pas du tout de son goût ? Si je me trompais complètement sur ses intentions et que je n'étais vraiment qu'une amie, pour lui ? Ce serait plutôt embarrassant…

En même temps, difficile de croire qu'il n'a aucune idée derrière la tête : ce soir, il me présente à ses parents, rien de moins ! En fait, tous les trois allaient voir le Super Bowl à la Cage aux Sports, et Maxime m'a proposé de me joindre à eux. Ses parents ont très hâte de me rencontrer, paraît-il. Je ne connais rien au football, mais j'ai aussitôt accepté l'invitation. C'est un signe, non ? Il me semble qu'on ne fait pas ça avec tous ses amis, une présentation « officielle » aux parents…

Maxime vient m'accueillir à la porte quand j'arrive au restaurant. Il me guide vers la table où son père et sa mère nous attendent. Je découvre tout un monde ! Je ne savais pas que le Super Bowl était célébré à ce point. L'ambiance est à la fête : la salle est bondée, plusieurs portent des chandails d'équipes de football, ça crie, ça rit, ça se chahute d'une table à l'autre. Au fond, l'idée est pas mal du tout pour une première rencontre : vu le vacarme, je ne serai pas obligée de soutenir une discussion avec les parents de Maxime !

Sa mère se lève à mon arrivée :

— Oh ! c'est toi, la fameuse Mia ! Enfin, on te rencontre !

Je rougis. La « fameuse » Mia ? Nous échangeons quelques phrases banales, du genre : « Aimes-tu le football ? » Ou : « Êtes-vous prêts à commander ? » Je suis là depuis quelques minutes seulement quand le botté d'envoi du match a lieu. Je me rends compte rapidement que j'avais raison : aucune conversation réelle n'est possible ! Tout le monde a les yeux rivés sur les grands écrans, et les clients soulignent chaque bon ou mauvais coup de sifflements, d'encouragements ou de huées.

Je voyais surtout dans cette soirée un prétexte pour une sortie de plus avec Maxime, mais, contre toute attente, j'ai beaucoup de plaisir. Je me prends à suivre le jeu avec bien plus d'intérêt que je l'aurais pensé. Tom serait fier de moi, lui pour qui le Super Bowl est l'événement le plus important de l'année ! Je ne comprends pas tout ce qui se déroule à l'écran, mais l'ambiance est incroyable. Je ne vois pas passer la soirée !

Une fois le spectacle de la mi-temps terminé, le père de Maxime déclare :

— On travaille tôt, demain. Nous, on va plutôt regarder la deuxième demie à la maison, Max.

Je redoute la fin abrupte de la soirée. Je n'ai aucune envie de rentrer chez moi. Encore moins de quitter Maxime. Je suis soulagée de l'entendre répondre :

— C'est bon, je vais prendre le bus.

Manquer la fin de la partie ne me dérange pas tant que ça, pour être honnête, mais j'ai envie de profiter de chaque moment avec Maxime au maximum... Avant de partir, la mère de Maxime se penche vers moi et me dit à l'oreille :

— Bonne fin de soirée ! Et merci beaucoup !

Merci ? Ils m'invitent au resto, ils paient mon repas et elle me remercie ? Merci de trouver son fils attirant ? Est-ce que ma mère remercie mes amis quand ils font une activité avec moi ? Étrange... Je me souviens que les parents de Maxime s'inquiétaient parce qu'il ne sortait pas... Il n'a peut-être jamais eu d'amis ? Je n'arrive pas à comprendre pourquoi. Il est super fin, intéressé par plein de sujets, il a un charme fou...

Je n'ai pas le temps de me poser plus de questions, la deuxième demie commence. Les équipes sont à égalité. Tout est possible. Le resto est toujours aussi bruyant. De temps à autre, Maxime se penche vers moi pour m'expliquer à l'oreille une séquence de jeu. Sa main sur mon épaule, sa bouche contre mon oreille... Je frissonne. Je voudrais que le match ne s'arrête jamais! Dans ces conditions, je suis prête à regarder tous les matchs de football du monde.

La partie est enlevante. Avec à peine vingt secondes au tableau indicateur, une interception change le cours des choses et permet aux Patriots, l'équipe préférée de Maxime, de remporter la victoire. Une fois le ballon intercepté, il ne reste plus que quelques secondes. Tous comptent en chœur: «Trois, deux, un...» Tout le monde hurle! Certains engueulent vertement l'entraîneur de l'équipe perdante, qui aurait pris, paraît-il, une mauvaise décision. Les partisans des Pats crient d'allégresse, un des serveurs de la Cage aux Sports a actionné le gyrophare derrière le bar... C'est le délire!

À la fin du compte à rebours, Maxime bondit, fou de joie, et me prend dans ses bras. Il me serre contre lui. Je lève la tête pour le regarder, mes yeux se noient dans les siens et alors... il se penche vers moi, doucement, tout doucement. Ses lèvres se posent sur les miennes. Je chavire.

J'ai la folle impression que tout se met à tourner autour de moi. Je ferme les yeux. Jamais je n'aurais imaginé notre premier baiser ainsi ! Nous avons eu plein d'occasions plus romantiques : au cinéma, dans une salle sombre ; à la patinoire, sous les flocons... Pourtant, je ne changerais pour rien au monde cet instant : la sirène hurle, les gens crient, ça sent le *pop-corn* et les ailes de poulet, je suis dans les bras de Maxime, ses lèvres sont sur les miennes... C'est magique.

Nous restons enlacés un bon moment. Maxime finit par s'éloigner, presque à regret, me semble-t-il.

— C'est l'heure de rentrer...

Comme dans un rêve, j'enfile machinalement mon manteau et nous partons. On dirait que je suis sur un nuage. Mon cœur bat si vite que j'ai du mal à respirer. Mon père m'attend à l'entrée, dans sa voiture, comme prévu. Avant d'aller vers son arrêt d'autobus, Maxime dépose un dernier baiser sur mes lèvres, plus furtif cette fois, mais tout aussi doux.

Soit mon père n'a rien vu, soit il est trop pris par ses pensées parce qu'il a passé la soirée à se disputer avec ma mère, soit il ne sait pas comment aborder le sujet… Rien sur le baiser. Sur le chemin du retour, il se contente de m'interroger sur le match. Je lui réponds distraitement. Je n'ai pas envie de revenir à la réalité. Je rejoue la scène du baiser en boucle dans ma tête.

Dès que nous arrivons à la maison, je file dans ma chambre. Je ne veux pas raconter ma soirée, j'ai besoin d'être seule, de me replonger en pensée dans l'ambiance un peu folle de ce match du Super Bowl. La sonnerie de mon cellulaire m'annonce que j'ai reçu un texto. Je le prends fébrilement. Maxime, déjà? Non, le message est de Jonathan.

> Rendez-vous à la café demain, 8 h.
> OK? Il faut qu'on parle.

Bizarre… J'ai vu Jo vendredi soir, chez Justine puisque, avec les Inséparables, nous nous sommes fait une soirée marathon de visionnements des films du *Seigneur des anneaux*. De quoi peut-il bien vouloir parler? Ce n'est pas son genre de me donner des rendez-vous ainsi.

Je ne me pose pas de questions longtemps, je verrai bien demain. Mon esprit ne souhaite qu'une chose: revenir aux images de la soirée. Me rappeler les bras de Maxime.

Je n'arrive pas à trouver le sommeil. Je reste dans mon lit, les yeux grands ouverts, le cœur battant, à rêver de Maxime. Je n'aurais jamais cru aimer autant le football.

Chapitre 10

Je me réveille avec le sourire. Avec encore sur les lèvres le goût des baisers de Maxime. J'ai dormi un peu pendant la nuit, mais je crois que, dans chacun de mes rêves, j'embrassais Maxime! Je prends un temps fou à choisir mes vêtements. Je me fais des idées ou j'ai les joues plus rouges que d'habitude, les yeux plus brillants? J'ai trop hâte de le revoir…

Je finis par opter pour mon t-shirt préféré de Pink Floyd, par-dessus lequel je passe un chemisier en jean. Je déjeune en vitesse et je consulte ma montre: 7 h 45. Il faut que j'y aille si je ne veux pas rater le bus. Le texto de Jo me revient brusquement en mémoire: il m'a fixé un rendez-vous à 8 heures… En route vers l'école, je ne peux m'empêcher de me demander de quoi

Jo veut me parler. Si c'était Justine, je ne me poserais pas de questions! C'est tout à fait son genre de décréter des rendez-vous à la dernière minute pour me parler de son plus récent *kick* ou pour me montrer son nouvel achat. Mais ce n'est pas du tout habituel pour Jo...

Soudain, ça me frappe! Bien sûr! Quelle naïve je suis de ne pas y avoir pensé avant! Je suis tellement prise par mon histoire avec Maxime que je suis sans doute moins attentive à ce qui se passe autour de moi... Je repense à la soirée de vendredi, chez Justine, quand nous avons regardé les films du *Seigneur des anneaux*. Il me semble que Justine et Jo étaient plus proches encore que de coutume. Je me rappelle avoir trouvé qu'ils s'accotaient souvent l'un contre l'autre, qu'ils échangeaient des regards complices... On est tous un peu *colleux*, les Inséparables, depuis le temps qu'on se connaît, mais il y avait un petit quelque chose de plus.

Serait-il possible que Justine et Jo?... Je suis prête à parier que c'est ce dont Jo veut me parler! Délicat comme il est, il veut probablement savoir ce que j'en pense, si ça changera quelque chose à notre amitié à tous les quatre.

Tout le scénario que j'invente ne tient pourtant pas la route longtemps. Quand j'arrive à la cafétéria, Jonathan est là, qui m'attend.

Je suis toute prête à lui dire que je suis très heureuse pour eux deux, que je leur souhaite tout le bonheur possible, mais Jo n'a pas du tout l'air d'un gars amoureux qui veut parler de sa douce… En réalité, il semble plutôt nerveux. Dès que je suis assise, il dit :

— Salut, Mia. Merci d'être venue.

Jo est toujours exubérant, il parle fort, il fait de grands gestes, il a un charisme fou. Ce matin, il reste sagement assis à table sans bouger. Même sa voix me paraît plus éteinte que d'habitude. Moi qui n'avais en tête que des histoires romantiques, je m'inquiète soudain pour mon ami :

— Ça va, Jo ? Il s'est passé quelque chose en fin de semaine ?

— Non, non. Ne t'en fais pas. Écoute… ça te concerne, Mia. Samedi, j'allais en Estrie, pour une fête dans la famille de ma mère.

Je me souviens qu'il nous l'a mentionné vendredi soir, en effet, mais je vois mal en quoi cette fête familiale pourrait me concerner ! Jo continue :

— J'étais chez Alex, un de mes cousins qui a deux ans de moins que moi. Il est vraiment trippant : il fait de l'impro, comme moi, il aime le cinéma, bref, on a plein de points en commun. On a commencé à parler d'école, tous les deux…

Il me raconte une soirée plutôt sympathique ; pourtant, Jo n'a toujours pas l'air bien. Jusque-là, je ne saisis pas ce qui a pu le bouleverser à ce point. J'aurais envie de le presser de questions, de lui dire d'en venir aux faits, d'arrêter de tourner autour du pot.

— Mon cousin voulait savoir si j'avais déjà joué contre du monde de son équipe dans des tournois. Son école imprime un bottin chaque année, avec le nom, l'adresse, le numéro de téléphone et la photo de tous les élèves. Celui de cette année était resté dans sa case, alors il a pris le bottin de l'an passé pour me montrer les joueurs de son équipe…

Jo marque un temps de pause, mal à l'aise. J'ai envie de le secouer par les épaules. Exaspérée, je lui demande :

— Mais parle, Jo ! Continue ! En quoi ça me concerne, tout ça ?

L'heure est grave : Jonathan ne me sort aucune de ses blagues habituelles, il ne me cite pas un seul de ces proverbes dont il a le secret. Il se contente de dire :

— J'ai finalement feuilleté tout le bottin de mon cousin en discutant avec lui. Je suis tombé sur une photo de Maxime. Il allait à cette école-là l'an dernier.

Ah ! c'est donc ça ! Bon, je ne vois rien là de bien dramatique ! Je me doutais évidemment que Maxime devait fréquenter une autre école l'an dernier ! Celle-ci n'est pas dans la région que j'habite, et alors ? J'ai presque envie de soupirer de soulagement. Je demande :

— C'est tout ?

Jo fait signe que non.

— J'ai mentionné à mon cousin que je le connaissais, qu'il étudiait ici maintenant. Et il… il m'a expliqué pourquoi il avait quitté son ancienne école. Il a été mêlé à une histoire d'intimidation…

Maxime ? Une histoire d'intimidation ? C'est bien la chose la plus absurde que j'aie entendue ! Maxime est le gars le plus doux du monde. Il ne ferait pas de mal à une mouche. Il est super gentil, attentionné, il ne dit jamais un mot contre personne… Je ne peux pas l'imaginer intimider qui que ce soit ! Ce n'est d'ailleurs pas la première rumeur qui court sur lui. Je ne peux pas plus l'imaginer vendre de la drogue ou menacer un prof qu'intimider un élève !

— Jo, franchement… Tu m'as demandé de venir plus tôt pour me raconter ça ? Ce sont des potins d'école… Tu le sais, ici aussi, il y a toujours plein d'histoires… S'il fallait qu'on croie tout ce qui circule !

— Non, Mia, ça semblait vraiment sérieux. Je ne pense pas que mon cousin aurait affirmé ça à la légère. Il m'a confié que… Écoute, ce n'est pas facile à dire, mais Maxime a fait quelque chose de grave… De très grave.

Ma gorge se serre. Je ne sais pas comment réagir. J'ai du mal à le croire. En même temps, Jo est mon grand ami depuis si longtemps, pourquoi irait-il inventer une histoire pareille ? Il n'est habituellement pas du style *potineur*. J'ai mille questions à lui poser. Avant que j'aie pu en formuler une, j'entends la voix de Tom derrière moi :

— Salut, vous deux !

Quand il voit nos visages longs et constate la tension qui règne, Tom demande :

— Ça y est, tu lui as dit, Jo ?

J'éclate :

— Quoi ? Parce qu'en plus tout le monde est déjà au courant ?

Jonathan essaie de me calmer d'une voix douce :

— Pas tout le monde, Mia. Seulement Justine et Tom. Je ne savais pas quoi faire. Je ne savais pas si je devais t'en parler ou non. Je leur ai demandé leur avis hier soir…

Je fulmine. J'ai l'impression que mes amis m'ont joué dans le dos.

— Depuis le début que vous cherchez ce qui ne va pas avec Maxime ! C'est quoi, le problème ? Vous êtes jaloux ? Vous voulez me garder juste pour vous ? On en a tous eu, des blondes et des *chums*, et ça ne nous a pas empêchés de rester les Inséparables ! Pourquoi je n'aurais pas le droit de sortir avec Maxime ? Qu'est-ce qui vous fatigue tant ?

Je ne sais plus ce qu'il faut croire. Je ne veux même pas entendre leur réponse. Je meurs d'envie d'apprendre ce que Jo a découvert, mais je suis trop furieuse pour le moment. J'attrape mon sac et je file vers la bibliothèque, où je me réfugie, seule, la tête dans un livre, les yeux dans l'eau, en attendant le début des cours. Décidément, ça devient une habitude.

Chapitre 11

Moi qui flottais sur un petit nuage ce matin au réveil, je redescends vite sur terre. Ce n'est pas ma meilleure journée, finalement. En plus de mon altercation avec Jo qui commence plutôt mal la semaine, je passe mon lundi à attendre Maxime. Après ce que nous avons vécu hier soir, au Super Bowl, j'ai hâte de voir comment il agira à l'école. Malgré nos quelques sorties ensemble, c'était la première fois que nous nous embrassions. J'ai enfin l'impression d'avoir réussi à l'atteindre. D'avoir brisé cette vitre qui l'isole de tous. Et ce n'était pas un petit baiser distrait, qui ne veut rien dire et pourrait presque passer pour un accident... Il me semble que c'était intense. Que c'était vrai. Je me doute bien que nous n'aurons pas le choix de finir par crever l'abcès et d'aborder ce secret qui pèse entre nous, mais je ne suis pas inquiète. Je suis prête à entendre ce que Maxime a à dire, j'en suis certaine.

Seulement voilà : les heures filent, les cours passent un à un, lentement, péniblement… et toujours pas de Maxime. Il est absent de l'école. Je me perds dans mes pensées : est-il malade ? Il paraissait pourtant parfaitement bien hier. Peut-être que quelque chose l'a frappé cette nuit. Grippe, gastro ? Si c'est bien cela, m'a-t-il transmis ce qu'il a en m'embrassant hier soir ? Je me sens plus de mauvaise humeur que malade ce matin, mais on ne sait jamais… Ou alors, peut-être qu'il a simplement eu ce qu'il voulait ? Il a prouvé qu'il pouvait me séduire, il est content, fin de l'histoire ? Je crois que Maxime ne se serait pas absenté pour autant. Je l'imagine plutôt, dans ce cas, venir se pavaner à l'école. Cependant, ça ne cadre pas du tout avec le Maxime que je connais, que je pense connaître… Sinon, troisième hypothèse : il regrette tellement de m'avoir embrassée qu'il n'ose pas se présenter en classe. Il ne sait plus comment agir et n'a pas le courage de me le dire…

Les scénarios se succèdent dans ma tête, tous plus pessimistes les uns que les autres. Je passe par-dessus ma mauvaise humeur du matin et vais rejoindre les Inséparables pour dîner… Les Inséparables… Je pousse un soupir. Est-ce que ce surnom nous va si bien, en fin de compte ? Nous avons toujours cru, tous les quatre, que notre amitié serait éternelle… Si une simple histoire d'amour arrive à provoquer tous ces conflits, ça me semble bien mal parti pour durer toute la vie.

Assise à notre table, je me contente d'écouter froidement leurs discussions, sans trop m'en mêler. Un lourd malaise plane entre nous. Mes amis échangent des regards inquiets. Jo n'aborde plus sa visite chez son cousin, mais je le sens préoccupé. Tout se bouscule dans ma tête : ma colère contre Jo, le secret de Maxime, son absence… Je ne vais pas très bien. La journée est interminable.

Je pourrais bien entendu écrire à Maxime, lui demander simplement pourquoi il n'est pas à l'école aujourd'hui. Et si ce n'était qu'une broutille ? Un congé qu'il s'offre parce qu'il s'est couché tard hier ? Je m'en fais probablement beaucoup trop pour rien. Pourtant, je préfère attendre qu'il m'écrive. Je résiste de mon mieux à l'idée de lui envoyer un texto.

Enfin, la cloche annonçant la fin de la journée sonne. Je rentre chez moi, sans grand enthousiasme. Je suis agitée. J'ai une heure avant le retour du travail de mes parents. J'essaie de regarder la télévision, mais je change de chaîne sans arrêt, rien ne m'accroche. Je tente de lire, mais pas une phrase ne parvient à capter mon attention. Je tourne en rond. Maxime ne m'a toujours pas écrit. En temps normal, j'appellerais Justine et on parlerait de la situation en long et en large, comme chaque fois qu'on s'intéresse à un garçon. Aujourd'hui, c'est bien la dernière chose que j'ai envie de faire.

Quand mes parents rentrent, ils ne semblent même pas voir ma mauvaise humeur, pris par leurs soucis quotidiens. Nous nous installons pour souper, chacun la tête plongée dans son assiette, à ruminer ses pensées. Après quelques minutes de silence, ma mère demande :

— Vous aimez le poulet ? C'est une nouvelle recette à la mijoteuse.

Mon père et moi, nous marmottons un « hum-hum » à peine poli. Ma mère éclate :

— Je passe la journée à travailler, je m'occupe des repas pour que tout soit prêt quand on arrive du boulot, j'essaie de varier les menus… C'est trop demander, un petit merci ? Un peu d'enthousiasme ?

Mon père grogne :

— Mais personne ne te demande rien, Nathalie. C'est toi qui te mets cette pression-là…

Ma mère crie qu'elle n'en peut plus. Mon père renchérit :

— Tu ne peux pas imaginer comment, moi, je n'en peux plus !

La guerre est de nouveau déclarée. C'est reparti pour la soirée. Pour l'instant, ils se contentent de hurler. Ce n'est qu'une question de minutes avant que l'un d'eux se lève et lance son assiette contre le mur. Je connais trop bien le scénario.

Je n'arrive plus à avaler quoi que ce soit. Je vais vider mon assiette dans la poubelle et me réfugie dans ma chambre. Mes parents sont trop pris par leurs cris, et aucun des deux ne remarque mon départ. Je regarde mon téléphone pour la millième fois : toujours pas de nouvelles de Maxime.

J'attrape mes écouteurs et je vais m'asseoir dans le garde-robe. De grosses larmes coulent sur mes joues. Je me concentre sur ma musique pour ne plus entendre hurler mes parents. Comment est-ce que la journée a pu déraper à ce point ? J'étais si euphorique au réveil, après l'épisode du baiser d'hier. J'ai passé la plus belle soirée de ma vie, j'avais terriblement hâte de revoir Maxime ce matin, comment puis-je me retrouver dans cet état-là ?

Je suis en colère. Contre Maxime qui ne donne pas de nouvelles. Contre Justine, Tom et Jo qui ne cessent de me mettre en garde contre Maxime et parlent de moi en mon absence. Contre le cousin de Jo qui colporte des histoires sur Maxime. Contre mes parents, si occupés à jouer leur drame quotidien qu'ils ne voient pas que je ne vais pas bien… C'en est trop. Je n'ai pas envie de passer la soirée enfermée ici.

Je sors de ma chambre en coup de vent. J'entre dans la cuisine et je crie :

— Vous n'êtes pas tannés de vous engueuler tout le temps ? Ça ne vous arrive jamais de penser à moi, là-dedans ? Peut-être que, moi aussi, j'ai des problèmes ! Mais vous êtes bien trop pris par vos chicanes pour vous intéresser à moi, hein ?

Mes parents me regardent sans dire un mot, bouche bée. Furieuse, je mets mes bottes, mon manteau, ma tuque, mon foulard et mes mitaines avec des gestes brusques. Avant de partir, je crie encore :

— Pourquoi vous m'avez eue, hein ? Pourquoi vous vouliez un enfant ? Juste pour faire comme tout le monde ? Si je n'étais pas là, vous ne seriez même plus ensemble. Et ce serait mille fois mieux.

Je sors en claquant la porte. Par la fenêtre, je vois ma mère qui me dévisage, les yeux pleins d'eau. Mon père a la bouche grande ouverte. Vu d'ici, il ressemble à un poisson dans son aquarium.

Je m'engage dans la rue d'un pas vif. Le froid de février me mord les joues, me crispe le dos. Mais je continue d'avancer. À la limite, ce froid me fait presque du bien. J'évacue peu à peu ma colère. Soudain, mon téléphone vibre dans la poche de mon jean et me fait sursauter. Mon cœur fait trois bonds. Maxime ?

D'une main maladroite à cause de ma mitaine, je sors mon cellulaire. Un seul texto reçu, de la part de Justine. Je ne peux m'empêcher de soupirer de déception.

> Salut, Mia ! On avait dit 19 h chez
> Tom pour le projet de sciences.
> Viens-tu tjrs ? On est là !

Zut ! j'avais complètement oublié ce travail d'équipe. On doit le rendre à la fin de la semaine et nous n'avons presque rien de fait. Je ne peux y échapper. Je réponds de mes doigts engourdis par le froid :

> J'arrive.

Je me remets en route, vers chez Tom cette fois. En chemin, je prends de grandes inspirations, je tente de retrouver mon calme. Je ne veux pas que mes amis me voient dans cet état.

Devant la maison de Thomas, j'envoie tout de même un texto à ma mère pour que mes parents ne s'affolent pas :

Je passe la soirée chez Tom.

Je range mon téléphone dans ma poche et frappe à la porte.

Maxime n'a toujours pas écrit.

Chapitre 12

Normalement, chaque fois que nous sommes réunis, l'ambiance est à la fête. On blague sans arrêt, Jo récite ou invente des proverbes qui nous font vraiment rire, on se connaît si bien qu'on peut se mettre à interpréter une chanson à tue-tête autant qu'à composer des poèmes ou à imiter une vedette de l'heure. Souvent, on n'a même pas besoin de parler pour se comprendre. Aucune gêne, pas de malaise. Du moins, c'est ainsi d'habitude.

Ce soir, c'est bien différent. La tension est palpable. Réunis autour de la table de la cuisine, chez Thomas, nous faisons le travail de sciences, mais nous nous contentons d'échanger sur notre projet. Pas de fous rires ni de délires. C'est tellement inhabituel que la mère de Tom passe la tête par la porte de la pièce pour nous demander :

— Tout va bien ici ? Vous êtes silencieux, ce soir ! Ça ne vous ressemble pas !

Chacun lui adresse un sourire un peu contraint et Tom finit par dire :

— On est concentrés. On a un gros travail à terminer.

Elle n'insiste pas, et nous reprenons le boulot. On est concentrés, c'est vrai, mais nous sommes surtout plongés dans nos pensées. Jo, Justine et Tom ne cessent de me jeter des regards furtifs. Je sens qu'ils voudraient bien remettre le sujet « Maxime » sur le tapis, mais qu'ils n'osent pas. Pour ma part, si je meurs d'envie d'interroger Jonathan pour en savoir plus sur ce que son cousin lui a raconté, je redoute aussi un peu ce que je vais apprendre… Est-ce bien ainsi que je souhaite en découvrir plus sur Maxime ? Est-ce que je ne devrais pas attendre qu'il soit prêt à me parler ?

À deux reprises, la vibration de mon cellulaire me fait bondir. La première fois, ma mère m'écrit :

Tout va bien ? Tu es toujours chez Thomas ? Tu es OK ?

La seconde, c'est mon père, qui propose de venir me chercher à la fin de la soirée. À travers ces courts messages, je sens bien que mes parents tentent de faire la paix avec moi. Maxime, lui, reste silencieux.

Vers 21 h 30, nous mettons le point final à notre travail. Jo me dit doucement :

— Écoute, Mia, je suis désolé. Je n'aurais pas dû en parler avec Justine et Tom avant de t'avoir vue, tu as raison.

Justine intervient :

— Il faut que tu comprennes, Mia… Si on s'inquiète autant pour toi, c'est parce qu'on t'aime. On tient à toi.

Je ne parviens pas à rester fâchée contre eux, une fois de plus. De toute façon, je leur en voudrais pour quoi ? Parce qu'ils se sont parlé pour savoir comment agir avec moi ? Je dois avouer que ça nous est tous déjà arrivé. Je me souviens de Tom, qui avait complètement changé à cause d'une fille, et nous avions discuté entre nous, Jo, Justine et moi, de la manière d'aborder le sujet avec notre ami. Même chose quand les parents de Jo se sont séparés et qu'on cherchait comment aider notre ami. Ou quand Justine s'est mise à être obsédée par son poids et à diminuer ses portions, au dîner, de jour en jour. Nous avions été là pour elle, après nous être concertés sur la meilleure approche. Je sais bien que les amis, ça sert aussi à ça : à être présents dans des moments plus difficiles.

En réalité, je crois que ce qui m'a bouleversée à ce point est qu'ils en sachent plus que moi sur Maxime. J'ai peur de ce que je vais découvrir, mais ce n'est pas leur faute pour autant. Je suis également chamboulée par le fait que, pour la première fois de ma vie, je m'interroge sur notre amitié. Est-elle vraiment aussi solide qu'on le pense ? Quand on partira chacun de notre côté, à la fin du secondaire, pourra-t-elle résister à l'éloignement ? Je n'en ai jamais douté avant. Depuis quelque temps, je me pose sérieusement la question.

Je me contente de dire à mes amis :

— Je ne comprends pas… Depuis le début, j'ai l'impression que le fait que je sorte avec Maxime vous embête.

Tous trois restent bouche bée un moment. J'ajoute :

— J'ai même pensé qu'il t'intéressait, Justine.

Mon amie sourit :

— Il est beau, c'est vrai, mais pas du tout mon style.

J'hésite, puis je lance :

— Et j'ai cru que tu étais jaloux parce que tu t'intéressais à moi, Tom... Imagine !

À ma grande surprise, Thomas ne répond pas. Il ne nie pas ce que je viens de dire et ne fait pas de blagues là-dessus. Il garde les yeux fixés au sol et ses joues deviennent très rouges. Je regrette aussitôt mes paroles. Jamais je n'aurais pensé que Tom s'intéressait ainsi à moi ! Depuis le temps qu'on se connaît...

Jo finit par mettre fin à ce silence inconfortable qui s'étire en déclarant :

— Ça ne nous embêtait absolument pas que tu fréquentes Maxime, Mia. Moi, je le trouvais bien sympathique, Maxime. Ça n'a rien à voir.

Je remarque immédiatement que Jo en parle à l'imparfait : il *trouvait* Maxime bien sympathique... Plus maintenant ? Pourquoi a-t-il changé d'avis ?

— Ce n'est pas lié au fait que tu sortes avec lui ou non, explique Justine d'une voix douce, comme si elle parlait à une petite fille fragile. Je pense que tu devrais écouter ce que Jo a à te dire.

Elle a raison, bien entendu. La fuite n'est pas une solution. Je prends une grande inspiration et je lance :

— Bon. Qu'est-ce que ton cousin t'a raconté ?

Les battements de mon cœur s'accélèrent. Je serre les poings si fort que mes ongles s'enfoncent dans mes paumes. Jo me regarde droit dans les yeux. Il répond en balbutiant, comme s'il hésitait, comme s'il cherchait ses mots, ce qui ne lui ressemble pas du tout :

— Il… Alex m'a raconté que… Maxime n'a pas pu terminer son année à l'école parce que… parce qu'il a tué un autre élève.

Il pousse un long soupir, comme si un poids venait de lui être enlevé des épaules. Je garde le silence quelques secondes, le temps de comprendre ce qu'il vient de déclarer. Puis, c'est plus fort que moi, j'éclate d'un rire aigu, nerveux.

— Franchement ! C'est ça que tu voulais me dire ? Maxime aurait tué quelqu'un ? C'est une farce ?

Je m'attends à ce que tout le monde rigole. Jo a voulu détendre l'atmosphère avant de m'annoncer ce qu'il veut me dire, c'est certain. Un meurtrier ? Allons ! On en voit dans les livres ou dans les films, pas dans notre classe ! Mais Jo, Justine et Tom me fixent d'un air grave. Aucun d'eux ne se joint à mon rire.

— Vous voyez bien que c'est absurde ! Maxime ne pourrait jamais faire ça ! Jo, ton cousin t'a monté un bateau pour rire de toi. Est-ce qu'il lit beaucoup de romans policiers ?

Personne ne répond. Je marmonne d'une voix moqueuse :

— « Il a tué un autre élève… » Arrêtez de me faire marcher.

Autour de moi, toujours aucune réaction. Honnêtement, mes amis ne semblent pas s'amuser du tout. Troublée, je les dévisage un à un. Ils ne peuvent quand même pas être sérieux ? Un argument me vient à l'esprit :

— En plus, tu disais que ton cousin est plus jeune que nous de deux ans, Jo. Alex ne devait même pas connaître Maxime quand il étudiait à son école.

Jonathan insiste :

— Il semblait assez sûr de son coup, Mia. Il avait entendu pas mal de détails sur Maxime. Ce n'est pas une très grosse école secondaire, là où il étudie. Tout finit par se savoir… Surtout une histoire pareille.

J'ai beau tourner cette idée dans ma tête, ça me paraît complètement farfelu. Comme si la reine d'Angleterre m'appelait soudain pour me demander d'aller souper avec elle. Comme si le président des États-Unis débarquait chez moi par surprise, un bel après-midi. Je nage en plein surréalisme. Je pensais être prête à tout entendre sur Maxime, mais qu'il ait assassiné quelqu'un ? Non, impossible. Je ne peux pas le croire. J'insiste :

— Si Maxime avait tué quelqu'un, il serait en prison, non ? Ou dans un centre jeunesse, quelque chose du genre. On ne laisse pas un meurtrier se balader comme ça, en liberté, même si c'est un ado.

Justine et Tom se mêlent à la discussion. Chacun y va de son objection pour tenter de me convaincre : pourquoi le cousin de Jo aurait-il inventé ça ? Dans quel intérêt ? Enfin, Jonathan semble se résigner. Il se rend bien compte qu'il n'arrivera pas à me faire croire à son histoire ce soir. Il conclut :

— Tu sais ce qu'on dit : si tu veux vraiment savoir quelque chose, Mia, ne le demande pas à ton coiffeur. Demande-le directement à la personne concernée. On aurait beau en parler entre nous pendant des heures, ça ne change-rait rien. C'est à Maxime que tu dois en parler si tu veux vraiment aller au fond des choses. C'est ce que tu peux faire de mieux.

Justine ajoute d'une voix tremblante :

— Mais sois prudente, quand même, si tu l'interroges. On ne sait pas vraiment qui il est…

Je rêve ! On nage en plein drame ! Où est la caméra ? Jonathan a raison, évidemment. Je dois parler à Maxime. Et je ne demande pas mieux. Je voudrais bien avoir une vraie discussion avec lui. En personne, s'il s'était présenté à l'école, ou par texto, s'il daignait m'écrire. Mais ce n'est pas le cas. Maxime m'a offert la plus belle soirée de ma vie, il m'a embrassée et fait frissonner comme aucun garçon avant lui, puis il est disparu.

Je voudrais de tout cœur discuter avec Maxime, mais il n'est pas là et je n'ai eu aucune nouvelle de lui aujourd'hui.

Chapitre 13

Pour la deuxième nuit consécutive, j'ai bien du mal à dormir. Pas pour les mêmes raisons, toutefois. Si, dans la nuit de dimanche à lundi, ce sont les images en boucle des baisers de Maxime qui m'ont tenue éveillée, cette fois, c'est plutôt l'inquiétude qui m'a empêchée de trouver le sommeil. Qu'est-ce qui est vrai dans ce que Jo m'a raconté ? Comment aborder le sujet avec Maxime ? Est-ce possible qu'il ait réellement tué quelqu'un ? Tout mon être me crie que non, bien entendu, mais est-ce que je me laisse seulement aveugler parce que Maxime me plaît ?

Quand mon réveil sonne, à 7 heures, j'ai si peu dormi que j'en ai les yeux bouffis et la tête qui tourne. Je me lève en grommelant, mais heureusement, ce matin, Dame Nature est de mon côté.

Quelques secondes après que la sonnerie s'est fait entendre, ma mère entre dans ma chambre et murmure :

— Tu peux dormir, Mia. L'école est fermée, il y a une tempête de neige. Je reste ici aussi aujourd'hui.

C'est vrai, je me souviens que Tom a mentionné hier soir qu'on annonçait une tempête. Le vent cogne contre ma fenêtre. Je jette un œil à l'extérieur : il neige à plein ciel. Je retourne me blottir sous les couvertures. Ce n'est pas une mauvaise chose… J'ai vraiment hâte de revoir Maxime et de tirer tout ça au clair. Je ne me suis jamais sentie aussi amoureuse d'un garçon, mais je veux savoir dans quelle histoire je m'embarque avec lui. D'un autre côté, je ne peux pas imaginer comment j'aurais pu prêter la moindre attention à mes cours aujourd'hui.

Je réussis à me rendormir une heure, puis plus moyen de retourner dans les bras de Morphée. Trop d'idées se bousculent dans ma tête pour que je fasse la grasse matinée. Ça n'a aucun sens : je devrais être folle de joie d'avoir un petit ami que je trouve si gentil et si beau, mais, depuis son arrivée dans ma vie, je suis toujours inquiète, mon amitié avec les Inséparables est désormais tendue alors qu'il y a rarement eu des nuages entre nous, je ne parviens plus à me concentrer à l'école… Ça ne peut pas continuer ainsi.

Bien résolue à mettre les choses au clair, je décide d'arrêter de jouer l'indépendante. Avant même d'aller manger mon petit-déjeuner, je prends le temps d'écrire à Maxime. Je n'aborderai pas les confidences de Jo par texto, évidemment. On ne peut parler d'un sujet aussi délicat que face à face, il me semble. Mais je veux au moins en avoir le cœur net sur son absence d'hier.

Salut, Maxime! Tu n'étais pas
à l'école hier...

J'attends anxieusement une réponse en me rongeant les ongles. Il n'est que 8 h 15. Maxime profite peut-être de la fermeture de l'école pour dormir. Heureusement, il ne me fait pas trop languir. À peine une minute après que j'ai envoyé mon texto, une réponse s'affiche sur mon téléphone.

Non, je n'étais pas en grande forme.

Je pense qu'il y aura une suite, des précisions, une explication, quelque chose de plus, mais rien ne vient. Je l'interroge encore :

Rassure-moi, tu n'as pas la gastro,
j'espère? ☺

Je ne sais pas si Maxime a compris que je faisais discrètement allusion à nos baisers d'avanthier, insinuant qu'il m'aurait peut-être transmis le virus, mais il ne le montre pas du tout, si c'est le cas. Il se contente de répondre un peu froidement :

Non, non, plutôt le moral qui n'est pas fort.

Je ne sais plus quoi écrire. Je me souviens dans quel état je me suis réveillée, hier, encore sous le charme du Super Bowl et des baisers échangés, souriante, folle de joie, n'ayant qu'une envie : aller à l'école et revoir Maxime. Si je saisis bien, lui, de son côté, s'est réveillé si déprimé de m'avoir embrassée qu'il n'a pas pu se rendre à ses cours, c'est ça ? Décidément, j'aurais besoin d'explications… Mais pas comme ça, pas par téléphone. J'écris :

Oh. Y seras-tu demain ?

Sa réponse ne tarde pas :

Je ne sais pas encore.

Je ne comprends pas du tout ce garçon. Il est habituellement si chaleureux, si prévenant… Il doit bien se douter que ses réponses vagues ne peuvent que m'inquiéter… Finalement, je ne suis pas sûre du tout que lui écrire m'a rassurée. Je n'ose pas poser d'autres questions pour le moment, je suis trop déboussolée.

Je laisse mon téléphone sur ma commode et vais prendre mon petit-déjeuner. Ma mère propose de me préparer des crêpes. Pendant qu'elle les fait cuire, elle babille tout le long sur son inquiétude parce que mon père est parti au bureau malgré le mauvais temps, sur les prévisions météo qui annoncent trente centimètres de neige, sur les actualités du jour... Je l'écoute distraitement, perdue dans mes pensées à propos de Maxime et de ce que j'ai appris sur lui.

Ma mère ne revient pas sur ce que je leur ai dit hier soir, à mon père et à elle, mais je vois bien que c'est sa façon de me faire savoir qu'elle est désolée : les crêpes, la bonne humeur, le placotage nerveux qui semble ne jamais vouloir s'arrêter...

Je traîne un moment à table avec elle, puis je retourne dans ma chambre. Je jette un œil à mon téléphone. C'est devenu une habitude depuis que je connais Maxime ! Je n'ai jamais autant surveillé mon cellulaire ! Il m'indique qu'un nouveau texto est entré. Il y a quelques minutes, Maxime m'a écrit :

Il faut absolument que je te parle,
Mia. Je peux me rendre chez toi ?

J'hésite : j'ai envie de lui dire de venir immédiatement, bien sûr, mais je ne sais pas si les conditions le permettent vraiment. Je demande :

Tu as vu le temps ?

Il répond aussitôt :

Je m'habillerai chaudement.

Je ne trouve rien à rétorquer. Maxime précise :

J'irai en bus. Les horaires sont bousculés. Je ne sais pas à quelle heure j'arriverai, mais je m'en viens. À tantôt.

Pas de petits mots affectueux, de petits x pour les bisous, d'émoticônes... rien du tout. Je réponds donc sur le même ton neutre :

OK. Je t'attends. À tout de suite.

J'ai hâte, j'ai peur, je suis heureuse, je suis inquiète, je ne me comprends plus... Je dépose mon cellulaire et je me prépare à passer les plus longues heures de ma vie. Une fois de plus, je n'arrive ni à lire, ni à regarder la télévision, ni à m'avancer dans mes devoirs. Rien ne réussit à capter mon intérêt.

J'attends Maxime.

Chapitre 14

L'avant-midi n'en finit plus de s'étirer. Je bondis au moindre bruit, croyant que c'est Maxime qui arrive. Plus de deux heures maintenant qu'il m'a écrit. Il n'habite pourtant pas si loin… A-t-il changé d'idée ? Si c'est le cas, j'espère au moins qu'il m'en avisera ! Je tourne en rond comme un lion en cage.

Quand la sonnette de la porte se fait enfin entendre, quelques minutes avant 11 heures, je me précipite vers l'entrée. Ma mère a déjà ouvert. Maxime est là, les joues rouges, la tuque et le manteau recouverts de neige.

— Bonjour, je viens voir Mia. Je suis Maxime.

— Ah ! c'est toi, Maxime ! Contente de te rencontrer ! Mia a souvent parlé de toi !

Maxime sourit poliment. Je m'approche, légèrement embarrassée. Je ne sais pas comment l'accueillir.

La dernière fois que je l'ai vu, c'est en quittant la Cage aux Sports. C'était beau, romantique, magique. Tout me semble si différent aujourd'hui ! Maxime n'esquisse aucun geste vers moi pour m'embrasser ou me prendre dans ses bras. Je ne fais rien non plus ; je me contente de saisir son manteau mouillé et de le suspendre sur la patère près de la porte. Puis j'invite Maxime à venir au salon avec moi.

Ma mère sent assez vite une certaine tension dans l'air, car elle s'esquive discrètement au sous-sol pour nous laisser tranquilles, tous les deux.

Nous nous assoyons sur le sofa, pas trop près l'un de l'autre. L'ambiance est chargée de malaise, de non-dits. Je tente d'entreprendre la conversation :

— Tu n'as pas eu trop de mal à venir jusqu'ici ?

— Non, ça a été. Il fait mauvais, certaines routes étaient pratiquement bloquées, donc c'est plus long, mais, en bus, on ne s'en rend pas trop compte... Le pire, c'est de patienter aux arrêts.

Il se tait. J'attends quelques secondes. Après tout, c'est lui qui souhaitait me voir… Il ne voulait tout de même pas me rencontrer seulement pour me parler de météo ? Maxime n'esquisse toujours aucun geste de rapprochement vers moi. Il regrette ce qui s'est passé entre nous, c'est clair. Je demande d'une voix un peu enrouée :

— Tu… tu vas mieux ?

Maxime prend une grande inspiration. Il commence :

— Écoute, Mia…

Mais la porte de la maison s'ouvre et l'interrompt. La voix de mon père retentit :

— C'est moi ! Ouf ! quel temps !

Il s'engouffre à l'intérieur. J'adresse un sourire contraint à Maxime, et nous nous levons pour aller saluer mon père. Je lui présente Maxime. Papa explique :

— On a décidé de fermer le bureau, finalement. Ça ne servait à rien de travailler, on n'arrivait à joindre personne. Rien n'est ouvert, ce n'est vraiment pas beau… Rentrer ici en voiture a été toute une entreprise ! Je n'ose pas imaginer ce que ce sera à la fin de la journée !

Devant notre absence de réaction, mon père se rend bien compte qu'il est un peu de trop en ce moment et que nous n'avons pas envie d'amorcer une discussion avec lui. Il demande :

— Ta mère n'est pas là ?

— Elle est en bas.

— Je vais aller la voir. Heureux d'avoir fait ta connaissance, Maxime !

Mon père descend l'escalier à son tour et nous retournons au salon.

— Ils sont sympathiques, tes parents, commente Maxime.

— Oui, tout le monde les adore…

Il faut leur donner ça : mes parents savent se tenir en public. Personne ne peut se douter à quel point l'ambiance est explosive à la maison en les voyant ensemble, tous les deux, devant les gens. Ils sont en représentation continuelle. Comme s'ils se disputaient seulement quand ils sont seuls, quand il n'y a personne d'autre… ou presque. Comme si moi, je n'étais personne, en fait, puisque ma présence ne les empêche jamais de hurler.

Un jour, peut-être, je parlerai de tout ça à Maxime. Mais pour l'instant, il y a des secrets plus graves à aborder que ma situation familiale…

Maxime paraissait sur le point de se livrer quand mon père est arrivé. Maintenant, il faut tout reprendre du début.

Maxime enchaîne avec un commentaire banal sur la maison, qu'il trouve chaleureuse. Je soupire. Je n'ai pas envie de tourner autour du pot des heures de temps, de parler de choses et d'autres d'un ton courtois, comme deux amis qui se rencontrent pour simplement bavarder. Finis les détours. J'ai besoin de savoir, de comprendre son étrange comportement. Je décide de prendre mon courage à deux mains et je me lance sans plus tarder :

— Tu... tu regrettes de m'avoir embrassée ?

Il semble surpris. Il ouvre des yeux étonnés.

— Non ! Pas du tout ! Enfin... c'était génial, Mia. Tu me plais vraiment.

Ses paroles me rassurent, même si je sens bien qu'il ne me dit pas tout. Il baisse la tête, pousse un soupir, puis poursuit :

— Mais... mais je ne suis pas prêt à avoir quelqu'un dans ma vie. Je ne vais pas très bien. Je ne peux pas t'imposer ça.

Ça y est, il va me sortir le classique : « Ce n'est pas toi, c'est moi » et me suggérer qu'on reste amis. Je suis bien décidée à aller au fond des choses. On ne va quand même pas mettre fin à notre histoire ainsi, aussi bêtement, sans autre explication. Les paroles de Jo me tournent dans la tête. J'insiste :

— Tu ne vas pas bien pour quelle raison ? Tu veux en parler ?

Il hésite. Il me regarde d'un air anxieux, comme s'il me suppliait de comprendre sans qu'il ait besoin d'en dire plus. Je continue :

— J'avais pourtant l'impression qu'on était bien, tous les deux…

— C'est sûr, Mia, ça n'a rien à voir.

J'ai envie de hurler que ça a tout à voir, au contraire, mais je me retiens. J'attends la suite. Maxime finit par déclarer à mi-voix :

— Tu ne me connais pas… Tu ne sais pas qui je suis.

— Justement, je ne demande pas mieux que de te connaître, Maxime.

Il se tord les mains, se mord les lèvres. Je ne l'ai jamais vu aussi nerveux.

— Je… je voudrais bien te parler… mais je… je ne peux pas. Je n'y arrive pas.

Il paraît sur le point de se lever et de s'enfuir en courant. Il ne dira rien, j'en suis persuadée. Ça ne peut plus continuer. Je me penche vers lui, je prends ses mains dans les miennes et les serre tendrement. Puis je le fixe, mes yeux droit dans les siens, et je murmure le plus doucement possible, comme si j'avais peur de l'effrayer :

— Maxime… j'ai entendu dire des choses… Je ne sais pas ce qui est vrai. Aide-moi à savoir qui tu es.

À ces mots, Maxime perd toute couleur. Son visage blêmit et se ferme complètement, ses traits se crispent. C'est comme si je lui avais donné un coup ou comme s'il était très en colère. Je laisse tomber ses mains et m'éloigne un peu de lui. Il me demande d'un ton furieux :

— Quoi ? Qu'est-ce que tu as entendu dire ?

Soudain, il me fait presque peur. Ces étincelles dans ses yeux, ce visage dur… Il a raison. Je ne le connais pas du tout. Voir quelqu'un à l'école pendant quelques semaines et sortir avec lui à quelques reprises, ça ne suffit pas pour savoir qui est l'autre. Je voudrais lui dire ce que Jonathan m'a appris, mais les mots s'étranglent dans ma gorge. Est-ce possible de lui balancer, comme ça, que, selon la rumeur, il a causé une mort ? La chose me semble si absurde. Si invraisemblable. Maxime ne cède pas. Il me fixe toujours avec la même intensité et il insiste :

— Qu'est-ce qu'on t'a dit, Mia ?

Je ne me sens pas bien du tout. Terriblement mal à l'aise, le ventre noué, je parviens à balbutier :

— À ton ancienne école, on raconte que… que tu as tué quelqu'un.

Ouf ! c'est dit. Je baisse les yeux, redoutant qu'il explose de colère. Le silence se fait lourd, de plus en plus lourd. J'ose enfin regarder Maxime. Il est livide. Blanc comme la neige qui ne cesse de tomber derrière la fenêtre du salon. Ses poings sont serrés, ses yeux fermés. Il finit par les ouvrir et les planter dans les miens. Quand il parle, sa voix semble plus fatiguée que fâchée. Maxime paraît épuisé. Il me dit d'un ton un peu triste :

— Et maintenant, tu veux des aveux, Mia ? Coupable ou non coupable ? Je vois que tu as fait ta petite enquête. Bravo. Tes informateurs t'ont bien renseignée.

Je suis abasourdie. Il ne nie pas. Au contraire… Je n'arrive pas à y croire. Je pensais être prête à tout entendre, mais sûrement pas ça ! Je m'attendais à ce qu'il éclate de rire, qu'il démente bien vite la rumeur, m'explique les vraies raisons de son départ de son ancienne école… Tout, mais pas ça.

Je ne réussis plus à prononcer le moindre mot. Je suis bouleversée. Maxime se lève :

— Excuse-moi, j'ai vraiment besoin de prendre l'air.

Puis, comme pour enfoncer le clou et s'assurer que j'ai bien compris, Maxime confirme d'une voix basse :

— C'est vrai, Mia. Les voici, les aveux. Ceux qui t'ont parlé ont raison. J'ai tué quelqu'un.

Il s'éloigne à grands pas. Je l'entends enfiler son manteau et ses bottes avec des gestes brusques, puis la porte de la maison claque.

Les larmes se mettent à dévaler mes joues. J'ai l'impression de suffoquer.

Je nage en plein cauchemar.

Chapitre 15

Je me réfugie dans ma chambre. Les paroles de Maxime ne quittent plus mon esprit: « C'est vrai… J'ai tué quelqu'un. » Ce n'est pas du tout ce que je pensais entendre! Un moment, j'ai le fol espoir que je vais me réveiller, me rendre compte que rien de tout ça n'est réel. J'ai le fol espoir que Maxime va venir me rejoindre en rigolant, me dire à quel point il m'a bien eue.

Ça n'arrive pas, évidemment. Je reste seule, bien éveillée, avec mes larmes et mes tonnes de questions. S'il a vraiment tué quelqu'un, comme il l'affirme, pourquoi serait-il en liberté?

Je ne sais plus quoi faire. Je suis bouleversée. Peut-être qu'en parler à quelqu'un me ferait du bien? Mais à qui? Je me vois mal annoncer de but en blanc à mes parents que leur fille fréquente un meurtrier… Ils vont me poser des tonnes de questions, auxquelles je n'ai aucune réponse pour le moment. En supposant que j'aie des réponses un jour… Je pourrais discuter avec Justine, Jo ou Tom, alors, puisqu'ils connaissent un peu la situation ? Je n'ose pas leur demander de venir ici, vu le mauvais temps, et je n'ai pas du tout le goût de sortir de ma chambre. En plus, je redoute les « On t'avait prévenue », « On te l'avait dit »… Je n'ai pas besoin de ça pour l'instant. Assise dans mon lit, adossée au mur, les jambes enfouies sous les couvertures, j'ai envie de ne plus jamais bouger d'ici. Jamais, jamais, jamais.

N'empêche, mes Inséparables sont les seuls qui comprendraient comment je me sens… Je pourrais les appeler ou leur écrire ? Mais la situation ne se prête guère à ça, il me semble. Je veux les voir, leur exposer tout ça pour de vrai. J'attendrai demain, à l'école. Avec un peu de chance, j'aurai eu le temps de me calmer d'ici là. Pour le moment, j'ai l'impression qu'une tornade sévit en moi. J'ai envie d'être seule, envie de voir quelqu'un. Envie de me refermer sur ce secret, envie d'en parler. Je suis terriblement mêlée.

Sur la commode, une vibration attire mon attention. Mon téléphone cellulaire annonce un texto de Maxime. Je réprime un frisson.

Désolé, Mia, c'est sorti tout croche.
Il faut que je te parle. Absolument.

Je ne sais pas quoi répondre. Je finis par ignorer le message. Comment réagir à tout ça ? Il n'y a pas très longtemps qu'on se fréquentait, bien sûr, ce n'est pas comme si je réalisais que celui qui est mon *chum* depuis trois ans a fait quelque chose de terrible... Mais apprendre qu'on est amoureuse d'un assassin, ça secoue. Un assassin... Le mot paraît si grave, si improbable dans la vie de tous les jours. On ne le voit que dans les journaux, les films ou les romans policiers, non ? Il ne peut jamais s'appliquer à un gars qui était assis dans notre salon il y a quelques minutes, qui nous attire et qui est si beau...

Le cellulaire se manifeste de nouveau. J'y jette un œil :

S'il te plaît, Mia. Réponds.

J'hésite, je n'arrive pas à décider ce que je dois faire. Répondre à Maxime ? Suis-je vraiment prête à en entendre davantage aujourd'hui ? À peine une minute plus tard, un autre texto :

S'il te plaît. S'il te plaît.

Qui a-t-il tué ? Dans quelles circonstances ? Peut-être qu'il exagère ? Que c'est seulement une façon de parler ? Il gardait un enfant qui s'est noyé sous sa responsabilité, quelque chose dans ce genre-là ? Je ne peux pas rester ainsi, sans réponse aucune. Je veux savoir. Je *dois* savoir.

> Maxime, je veux que
> tu me racontes.

Il répond aussitôt :

> Je suis au Café Crème, juste au
> coin de ta rue. Peux-tu venir ?

J'hésite. Il fait très mauvais c'est vrai, mais le café est à quelques maisons de chez moi. Faire le trajet à pied n'a rien de très dangereux, même en pleine tempête. Je ne peux m'empêcher d'inventer toutes sortes de scénarios d'horreur : cherche-t-il à m'attirer dans un piège ? Maintenant qu'il m'a confié son terrible secret, veut-il m'éliminer, comme on le voit dans les films ? Je me réprimande intérieurement. Franchement ! Il m'invite dans un café, pas dans une sombre bâtisse abandonnée au milieu de nulle part ! On se calme, Mia.

Comme souvent quand je suis mal prise ou mêlée, je pense aux Inséparables. Que feraient Justine, Jonathan et Thomas ? Que me conseilleraient-ils ? Il me semble entendre Jo me souffler à l'oreille qu'il faut laisser la chance au coureur. Qu'on ne doit pas se fier uniquement aux apparences. Toutefois, il faut admettre que, dans ce cas-ci, les apparences sont pour le moins troublantes.

Je ne vois pas d'autre choix sensé. Je dois accepter l'invitation de Maxime.

J'arrive.

Je quitte enfin ma chambre, je me dirige vers la porte d'entrée et je commence à m'emmitoufler pour sortir. Je dois avoir les yeux rougis et être affreuse, mais c'est le dernier de mes soucis présentement. Mon père, qui s'est installé dans le salon après le départ de Maxime, s'étonne de me voir m'habiller :

— Tu vas où, Mia ? Il fait tempête…

— Je sais, je vais juste au Café Crème rejoindre Maxime.

Mes parents sont très protecteurs. Ils sont tout à fait du genre à protester, à me dire de ne pas sortir par ce temps. Néanmoins, je crois que mon père saisit vite l'importance que cette rencontre a pour moi. Je dois avoir l'air suffisamment bouleversée, car, contrairement à ses habitudes, il ne me pose aucune question. Quand j'ouvre la porte, le vent me fouette les joues, une nuée de flocons atterrissent sur le tapis d'entrée de la maison. Avant de la refermer, j'entends la voix de mon père qui me dit doucement :

— Sois prudente, Mia.

Je prends une grande inspiration et je pars. J'affronte la tempête, en quête de vérité.

Chapitre 16

Si moi, je suis bouleversée, il ne me faut qu'une seconde pour constater que Maxime, lui, est complètement désespéré. Il est installé à une table isolée, dans un coin de la salle, une tasse posée devant lui, et il se tient la tête entre les mains, les cheveux ébouriffés. Je réprime l'envie folle de le prendre dans mes bras, de lui dire d'oublier tout ça et de l'embrasser.

Je me retiens et je vais plutôt m'asseoir face à lui, sans un mot. Il lève aussitôt la tête.

— Je suis désolé, Mia. J'aurais dû te dire tout ça dès le début. Ça aurait été bien plus facile.

Sa voix est rauque, ses yeux sont bouffis. Je vois bien qu'il a pleuré. Il paraît tellement malheureux… Je ne parviens pas à rester froide et distante, comme je m'étais promis de l'être. Ma voix tremble quand je lui demande :

— Qu'est-ce qui s'est passé, Maxime ?

Ses yeux sombres sont maintenant rivés aux miens. Ce serait tentant d'oublier tout ça, de faire semblant de rien, de reprendre ma vie comme avant. Mais je sais que je n'y arriverai pas.

— Je veux savoir qui tu es vraiment, Maxime. Raconte-moi.

Il pousse le plus lourd des soupirs. Il ferme les yeux quelques secondes, cherchant sans doute à formuler les choses clairement dans sa tête, puis il se lance :

— J'ai un an de plus que toi. Je refais ma quatrième année de secondaire parce que… parce que je n'ai pas pu la terminer l'année passée. J'ai… euh…

Il saisit la tasse posée devant lui d'une main nerveuse, voulant se donner une contenance. Il avale une gorgée de chocolat chaud, repose la tasse, continue :

— Attends. On reprend du début. À l'école secondaire où j'étudiais, ça allait bien. J'avais plein d'amis, de bonnes notes, je jouais au football, j'étais même capitaine de l'équipe. En trois ans, je n'ai eu aucun problème. En septembre, il y a un an et demi, quand j'ai commencé ma quatrième année du secondaire, un nouveau gars est arrivé à l'école. Il s'appelait Adam. Tout a changé…

Je repense à l'histoire d'intimidation dont parlait Jo. Est-ce de cet Adam qu'il était question ? Je brûle de le savoir, mais je choisis de ne pas interrompre Maxime. J'écoute attentivement ce qu'il me livre, difficilement, bribe par bribe. Chaque mot semble lui coûter.

— On était tous très proches dans notre classe. On étudiait au Programme d'éducation internationale, donc tous les élèves se suivaient d'une année à l'autre, toujours le même groupe, ou presque. On se connaissait bien. Il y avait de petits conflits, des fois, c'est sûr, mais rien de majeur. Quand Adam est arrivé, assez vite, l'ambiance n'était plus aussi bonne. Il écœurait tout le monde, il manipulait, il montait les uns contre les autres en inventant toutes sortes de choses. On aurait dit qu'il ne supportait pas l'amitié entre les gens : il racontait qu'il avait entendu le meilleur ami d'un tel parler dans le dos de l'autre, plein d'histoires de ce genre-là… Ça faisait des chicanes pas possibles. Ça n'arrêtait jamais. En quelques semaines à peine, c'était devenu super tendu dans notre classe.

Une question me brûle les lèvres. Je ne peux m'empêcher de la poser tout de suite :

— Il... il en avait contre toi aussi ? Il t'a fait quelque chose ?

— Non. Pas directement. Il n'aurait jamais osé s'en prendre à moi. J'ai arrêté de m'entraîner depuis...

Sa voix se brise. Il toussote et poursuit :

— ... depuis les événements, mais j'étais deux fois large comme lui, je passais des heures à me mettre en forme, tout le monde disait que j'étais une machine.

Maxime ne le dit pas pour se vanter, il rapporte simplement les faits. Je n'ai pas de mal à le croire, car il est déjà imposant, avec de larges épaules, un corps solide. Si en plus il ne s'entraîne pas depuis plus d'un an, je n'ose pas imaginer de quoi il avait l'air avant... Maxime continue :

— Adam n'était pas fou : il choisissait ses victimes. Il semait le trouble partout. Il défaisait les groupes, il avait réussi à mettre de son bord quelques élèves qui étaient prêts à tout pour être dans *sa* gang. Il riait des plus petits que lui. Il y en avait un en particulier, Sam, qu'Adam ne lâchait pas. Il se moquait de lui sans arrêt, il obligeait sa cour qui le suivait partout à faire pareil. Il l'a complètement isolé. Déjà, à la fin d'octobre, Sam n'était plus que l'ombre de lui-même. Il longeait les murs. J'avais l'impression qu'il sursautait dès qu'Adam était dans le coin. Ça n'avait aucun sens. J'avais peur que Sam ne termine pas l'année... Qu'il finisse par craquer.

Maxime fait une pause. Je n'interviens pas. Les morceaux se placent peu à peu, mais je ne comprends pas encore tout à fait ce qui s'est passé.

— Un midi, j'ai surpris Adam en train de plaquer le petit Sam dans son casier. J'avais toujours essayé de me mêler le moins possible des affaires des autres, je me disais que, tant qu'il ne s'en prenait pas à moi, les histoires d'Adam ne me regardaient pas, mais... là, c'était trop. Je n'en pouvais plus de le voir démolir Sam peu à peu. Je me sentais super mal d'assister à ça sans rien faire. Sans que personne n'ose lever le petit doigt. J'ai ramassé Adam par le collet, je lui ai dit de sortir dehors, dans la cour, tout de suite. Je... je ne pensais pas qu'il le ferait. Il parlait beaucoup, mais il était plutôt peureux, au fond. C'est pourquoi il choisissait toujours les plus petits... Mais il y avait quelques joueurs de foot autour de nous quand je lui ai ordonné de sortir et... disons qu'ils l'ont convaincu de m'écouter. Ils l'ont emmené dans la cour.

Maxime se tait. Il semble exténué. J'ai peur qu'il s'arrête là, qu'il ne dise rien de plus. Je l'incite doucement à poursuivre :

— Et ?… Qu'est-ce qui s'est passé ?

Il se racle la gorge, comme s'il avait du mal à avaler. Il baisse les yeux et continue son histoire en regardant la table entre nous, uniquement la table.

— C'est fou, presque tous les élèves de quatrième secondaire sont sortis en même temps que nous. Même ceux qui se tenaient avec Adam. On aurait dit que la nouvelle de la bagarre à venir s'était répandue comme une traînée de poudre. Adam et moi, on s'est retrouvés dans la cour d'école, entourés de plein de monde. Il en arrivait toujours plus. Autour de moi, plusieurs grondaient : « Règle-lui son compte. » « Ça suffit, il faut lui apprendre… » Les amis d'Adam ne disaient rien, ils étaient largement en minorité. Ils regardaient. Adam s'était accoté à une table de pique-nique, les bras croisés. Il essayait d'avoir l'air insolent, mais on voyait bien qu'il était mort de trouille.

Maxime semble complètement plongé dans ses souvenirs. Il se tord les mains, s'exprime d'une voix rendue rauque par l'émotion.

— Je ne voulais pas vraiment me battre, je voulais juste qu'il laisse Sam tranquille. Je voulais surtout lui faire peur. Mais c'était comme si les élèves en avaient tous assez de ses histoires, la marmite venait d'exploser. Ils voulaient que je le frappe, ils demandaient un combat. C'était étourdissant. Comme si tout le monde, soudain, avait le goût du sang. J'essayais de garder la tête froide, de ne pas m'occuper du climat de violence autour. Je me suis approché d'Adam et je lui ai dit : « Là, c'est fini. Tu ne touches plus jamais à Sam. Tu le laisses tranquille. » Il n'était pas gros dans ses souliers, mais il essayait de sauver la face. Il m'a adressé un petit sourire baveux : « Sinon ?... » Un de mes amis de l'équipe de foot lui a donné un grand coup dans le dos. Il l'a poussé vers moi en disant : « Sinon... ça ! » Adam s'est retrouvé contre moi. Instinctivement, il a levé les poings.

Maxime quitte enfin la table des yeux. Il relève la tête vers moi, pour s'assurer que je comprends bien, que je peux voir la scène qu'il me raconte :

— Il essayait de se battre, mais il n'avait aucune chance. Je le repoussais comme une mouche. Au début, je me contentais d'éviter ses coups. J'aurais pu l'écraser en une seconde. Autour de moi, ça criait, ça m'encourageait. C'était fou. Je voulais juste que ça finisse. J'en avais assez. Ses poings qui s'agitaient devant moi, les cris, la foule… J'ai perdu patience et je l'ai envoyé valser de toutes mes forces. Je l'ai pris par les épaules et je l'ai poussé. J'étais bien trop fort. Ses pieds ont décollé du sol, il a été projeté par-derrière… et sa tête a heurté le coin de la table à pique-nique quand il a atterri. Il s'est mis à saigner, à saigner… Tout à coup, tous les élèves se sont éloignés ; ils ne voulaient surtout pas être mêlés à ça. La cour s'est vidée. Je me suis retrouvé pratiquement tout seul, avec Adam. Il ne s'est jamais relevé. Il a quitté l'école en ambulance et n'a pas repris connaissance.

Maxime fait une pause. Une pause lourde, quasi intolérable. Il conclut :

— Le lendemain, j'ai su qu'il était mort. Il ne s'était pas remis du traumatisme crânien, il avait eu une hémorragie…

Il semble complètement démoli.

— Bref, ils n'ont pas pu le sauver. Je l'ai tué.

L'émotion me submerge. La gorge serrée, je chuchote :

— Tu… tu as fait de la prison ?

— Non. C'était clair pour tout le monde que je n'avais fait que me défendre, que c'était un accident. Des dizaines de personnes pouvaient témoigner qu'il n'y avait rien de volontaire là-dedans. Mais… ça ne change rien, Mia. C'était quand même ma faute.

Je me souviens d'avoir vu cette histoire dans les journaux l'an dernier. Sans les noms, évidemment, puisque la victime et celui qui l'avait poussée étaient mineurs. Pour moi, ça n'était qu'un fait divers parmi d'autres, que j'avais trouvé terrible, bien entendu, mais sans plus. Je ne sais pas quoi dire. Des images me remplissent la tête. Je cherche les bons mots. Lui dire que ce n'est pas grave? Impossible, puisque ça l'est. C'est terrible, ce qui est arrivé. Le rassurer? Comment? C'est Maxime qui finit par ajouter:

— Je n'ai pas été capable de retourner à l'école par la suite. Je ne pouvais pas m'imaginer croiser les autres, voir leur regard posé sur moi. Je paniquais à l'idée de rencontrer les parents d'Adam quelque part dans la ville. J'ai fait une grosse dépression. Je n'allais pas bien du tout. J'ai été hospitalisé. Mes parents ont choisi de déménager, pour m'aider à oublier, à changer d'air. C'est pour ça que je suis ici et que je reprends ma quatrième année de secondaire.

— Tu... tu n'as pas fait exprès, Maxime. C'était un accident. Ce n'était pas voulu.

Il se penche par-dessus la table, ses mains glacées saisissent les miennes. Il plante ses yeux dans les miens presque férocement :

— Tu as entendu ce que je t'ai raconté, Mia ? Il est mort. Mort. Que j'aie fait exprès ou non, ça ne change rien. Si je ne l'avais pas poussé... Ça a duré quelques secondes à peine, cette scène, mais j'y pense tout le temps. Chaque jour. Quand Noël approche, je me dis qu'il ne fêtera pas, qu'il n'ouvrira pas de cadeaux. Sa famille n'arrivera pas à célébrer non plus, elle ne pensera qu'à son absence... À cause de moi. Parce que je l'ai poussé. Au début de l'année scolaire, je me dis que lui ne pourra pas vivre cette rentrée. Il ne recevra plus jamais son horaire, il ne préparera pas son matériel... Quand... quand on s'est embrassés, l'autre soir, toi et moi, j'étais tellement bien, tellement heureux... Puis ça m'a frappé en pleine face quand je suis revenu chez moi : Adam, lui, ne connaîtra jamais d'histoire d'amour. Par ma faute. C'est là, en moi, tout le temps.

Je comprends soudain les remerciements de sa mère, sa gratitude de voir Maxime reprendre un peu goût à la vie avec moi. Maxime m'explique :

— J'ai retenu deux choses de ça, Mia : il n'y aura plus jamais de place dans ma vie pour la violence. Aucune forme de violence. J'aurais dû en parler à quelqu'un à l'école, j'aurais dû aider le petit Sam, mais autrement. Il y a mille choses que j'aurais pu faire à part me battre ! Pourquoi j'ai choisi la force physique ? Et j'ai compris aussi que je ne serai plus jamais le même. Je ne serai plus jamais une personne entière. De toute ma vie. Je... je suis vraiment en train de tomber amoureux de toi, Mia, mais je ne peux pas t'imposer ça. Je n'ai pas grand-chose à offrir à une fille. Il y a certains jours où je me sens si mal, tellement coupable que je ne peux même pas me lever. Je me suis promis que je resterais seul, toujours, pour que je ne puisse plus jamais blesser personne, même psychologiquement. Même involontairement.

Je suis complètement bouleversée. Je saisis soudain combien j'avais raison : cette vitre invisible dressée entre lui et les autres pour s'isoler, pour les protéger, pour demeurer inaccessible... J'ai du mal à voir clair dans tout ça, à comprendre ce que je ressens pour Maxime en ce moment. Je voudrais le rassurer, mais je ne vois pas comment. Il faut... il faut que je sorte d'ici. Je me lève et j'enfile mon manteau.

— Écoute, Maxime, je… j'ai besoin de mettre de l'ordre dans mes idées. Désolée. J'ai envie d'être toute seule un peu.

Il se lève à son tour, les épaules voûtées, l'air dévasté, et il me lance un long regard triste :

— Je comprends. Merci d'être venue. Et merci de m'avoir écouté.

Épilogue

Avant même qu'il arrive à l'école, la machine à rumeurs s'était emballée. Un nouveau, en plein milieu d'année scolaire? En janvier? En quatrième secondaire?

C'était clair pour tout le monde que ce nouveau avait dû être expulsé de son école précédente. On ne pouvait pas dire exactement ce qu'il avait fait, mais il avait un lourd secret, c'était sûr et certain!

Mes trois meilleurs amis et moi, on prenait tout ça avec un grain de sel. Les Inséparables. Justine, Thomas, Jonathan et moi-même, Mia. On ne se laissait pas trop atteindre par la frénésie ambiante, on tentait de ne pas embarquer dans les rumeurs insensées qui circulaient.

Ce que nous ne savions pas encore, c'est que le nouveau allait chambouler notre existence, la mienne en particulier. Ce que j'ignorais aussi, c'est que la machine à rumeurs avait en partie raison : il cachait bel et bien un lourd secret. Un secret terrible. Je croyais qu'aucun aveu n'aurait pu m'ébranler. Pourtant, ce que je venais tout juste d'apprendre était bien pire que tout ce que j'avais jamais pu imaginer.

Un secret qui n'avait rien à voir avec les rumeurs qui avaient couru.

Quand je suis sortie du Café Crème, la tempête faisait toujours rage sur la ville. J'ai levé la tête, déboussolée par ce qui venait de m'être raconté. Un long moment, j'ai laissé le vent fouetter mes joues, j'ai laissé les flocons se poser peu à peu sur ma peau rougie par le froid.

Comme toujours, quand les choses vont mal et que je ne sais plus où j'en suis, j'ai pensé aux Inséparables. Que feraient Justine, Jonathan et Thomas à ma place ? Que me conseilleraient-ils ? J'ai entendu Jo me souffler à l'oreille que tout le monde a droit à une deuxième chance.

J'ai pensé à ce que Maxime venait de m'avouer : sa volonté de rester seul pour ne pas blesser, son impression de ne pas être une personne entière. J'ai songé aussi aux nombreuses soirées que moi-même j'avais passées dans mon garde-robe, la porte fermée, au son des objets se fracassant sur le mur, aux injures hurlées chez moi, j'ai songé aux cicatrices que toutes les chicanes de mes parents allaient provoquer en moi malgré mes efforts pour donner à tout le monde l'impression que je suis une personne normale.

Mon drame n'avait rien à voir avec celui de Maxime, bien entendu, mais j'avais aussi ce sentiment que je ne serais jamais complètement une personne « normale ». Entière. Je me suis aussi demandé qui j'étais pour juger ce qu'il avait fait. Pour le condamner encore plus que ce qu'il s'imposait lui-même comme peine.

La porte s'est ouverte derrière moi. Maxime est sorti du café, l'air abattu. Il a paru surpris de me trouver là, à quelques mètres à peine de l'entrée. Je me suis approchée de lui.

— Moi aussi, je me suis souvent dit que je préférerais rester seule toute ma vie plutôt que d'être blessée par quelqu'un que j'aime, Maxime. Pour ne pas vivre ce que mes parents vivent. Je te raconterai peut-être un jour, si tu veux. Moi aussi, j'ai souvent l'impression d'être juste une moitié de personne. Je n'ai pas vécu tout ce que tu as connu... mais si ça t'intéresse toujours... je me dis que... on ne sait jamais. C'est peut-être plus facile d'être tout seuls ensemble, tous les deux, que chacun de notre côté ?

Maxime n'a rien dit. Il m'a enlacée. Il a appuyé son front contre le mien. De grosses larmes ont roulé de ses yeux jusqu'à mon visage. J'ai posé mes lèvres sur les siennes, doucement, longuement. C'était un merveilleux baiser. Le début d'une nouvelle vie, peut-être.

Bras dessus, bras dessous, nous nous sommes éloignés dans la rue enneigée, en direction de ma maison. Ensemble, nous étions plus forts. Ensemble, nous nous sentions prêts à affronter la tempête, quelle qu'elle soit.

D'AUTRES TITRES
DE MARTINE LATULIPPE

Le Cri

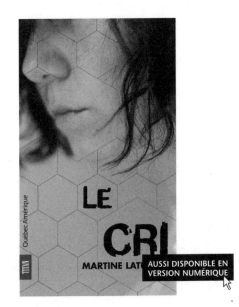

Alexia rêve de faire partie de LA gang populaire de l'école et elle est bien près d'y parvenir. Mais le rêve se transforme en cauchemar quand la jeune fille devient témoin du harcèlement infligé par la bande. Sabrina semble capable de tout pour rendre la vie impossible à Maude, une ancienne amie d'Alexia.

À fleur de peau

MARIE-PIERRE 1

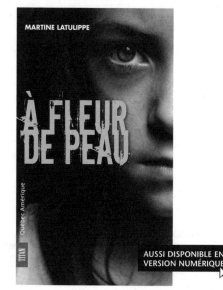

Depuis quelque temps, la vie de Marie-Pierre semble tourner au cauchemar. Les appels anonymes se multiplient, des objets personnels disparaissent mystérieusement autour d'elle… Se pourrait-il que quelqu'un lui veuille du mal ou serait-ce plutôt le fruit de son imagination ? À qui peut-elle faire confiance ?

Un lourd silence

MARIE-PIERRE 2

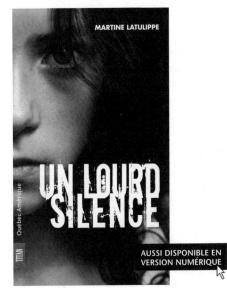

Des photos tordues, des appels menaçants, et voilà Marie-Pierre, Loulou et David pris au centre d'un enfer sans nom. Dénoncer ou pas ? Pas facile de trancher quand on joue avec la vie des autres. Surtout quand il s'agit de la vie d'enfants…

De la même auteure

Jeunesse

SÉRIE L'ALPHABET SUR MILLE PATTES
15 titres parmi lesquels :
Comme des poissons dans l'eau, éditions FouLire, 2015.
Monsieur Jeannot joue au héros, éditions FouLire, 2015.
Que la fête commence !, éditions FouLire, 2014.
Ce soir, on danse !, éditions FouLire, 2014.

SÉRIE ÉMILIE-ROSE
La crème glacée, Malala, la souris et moi, éditions FouLire, 2015.
Le camp, Patch, la chèvre et moi, éditions FouLire, 2014.
Les clés, Terry, un chien et moi, éditions FouLire, 2013.
Le voisin, Rosa, les poissons et moi, éditions FouLire, 2012.

Émile en vacances, La Bagnole, 2014.

SÉRIE MARIE-P
9 titres parmi lesquels :
Attache ta tuque, Marie-P, éditions FouLire, 2014.
À l'aide, Marie-P !, éditions FouLire, 2013.

SÉRIE MÉLINA ET CHLOÉ
Ce qui est arrivé quand un drôle de voleur est passé chez Mélina et Chloé,
     collection Klaxon, La Bagnole, 2013.
Ce qui peut arriver quand Mélina et Chloé se font garder, collection
     Klaxon, La Bagnole, 2011.
Ce qui arriva à Chloé et Mélina un jeudi après-midi, collection Klaxon,
     La Bagnole, 2009.

SÉRIE LORIAN LOUBIER
6 titres parmi lesquels :
Lorian Loubier, Vive les mariés !, roman bleu, Dominique et compagnie, 2008.
Lorian Loubier, détective privé, roman bleu, Dominique et compagnie, 2006.

SÉRIE MOUK LE MONSTRE
5 titres parmi lesquels :
Mouk mène le bal !, série La Joyeuse maison hantée, éditions FouLire, 2008.
Mouk, Un record monstre, série La Joyeuse maison hantée,
     éditions FouLire, 2007.

Adulte

Crimes à la librairie, collectif, éditions Druide, 2014.
Les faits divers n'existent pas, éditions Druide, 2013.

MARTINE LATULIPPE

Martine Latulippe est l'auteure de plus de soixante romans et cumule les prix et les honneurs. Elle s'adresse aussi bien aux tout-petits qu'aux adolescents avec des histoires d'amour ou d'action ; des récits intenses et dramatiques ou débordants d'imagination. Au fil de nombreuses animations, elle rencontre ses lecteurs aux quatre coins du pays. Chez Québec Amérique, en plus de ses suspenses pour ados et de son album pour les plus jeunes, sa populaire série *Julie* permet de découvrir les légendes québécoises en compagnie d'une Julie curieuse.

Fiches d'exploitation pédagogique

Vous pouvez vous les procurer sur notre site Internet à la section jeunesse/matériel pédagogique.

quebec-amerique.com

RECYCLÉ
Papier
FSC FSC® C100212

Achevé d'imprimer
en juillet deux mille quinze, sur les presses
de l'imprimerie Gauvin, Gatineau, Québec